D1281695

148-1A-22 ①

CSR vert

28745

Taschenbücher zur Musikwissenschaft
Herausgegeben von Richard Schaal

12

Heinrichshofen's Verlag

Wilhelmshaven

EGON VOSS

Richard Wagner und die Instrumentalmusik

Wagners symphonischer Ehrgeiz

Univarsitas
BIBLIOTHECA
Ottaviensis

Heinrichshofen's Verlag

Wilhelmshaven

508164

CIP-Kurztitelaufnahme der Deutschen Bibliothek

Voss, Egon
Richard Wagner und die Instrumentalmusik:
Wagners symphon. Ehrgeiz —
1. Aufl. — Wilhelmshaven: Heinrichshofen, 1977
    (Taschenbücher zur Musikwissenschaft; 12)
    ISBN 3-7959-0089-1

ML
410
W13 V7
1977

©
Copyright 1977
by Heinrichshofen's Verlag, Wilhelmshaven,
Locarno, Amsterdam
Alle Rechte, auch das der fotomechanischen Wiedergabe
(Fotokopie), vorbehalten
All rights reserved
Gesamtherstellung: Heinrichshofen's Druck
Wilhelmshaven
Printed in Germany
ISBN 3-7959-0089-1
Bestellnummer: 12/089

Inhaltsverzeichnis

Vorwort

Die notwendige Beschäftigung mit Wagners Orchesterwerken im Zuge der Editionsarbeiten an der neuen
Richard Wagner-Gesamtausgabe führte vor einiger Zeit
zu dem Gedanken einer kleineren Arbeit über das Thema "Richard Wagner als Instrumentalkomponist". Ange-
kündigt wurde sie dann unter der — allerdings vorläufi-
gen — Überschrift "Einführung in das Instrumentalschaffen Richard Wagners". Der Titel, unter dem das
Buch nun endlich erscheint, geht über den ursprünglichen Rahmen hinaus und ordnet — wie ich glaube, den
Tatsachen entsprechend — die Instrumentalkompositionen ein in den größeren und bedeutsameren Zusammenhang von Wagners intensiver Beschäftigung mit der Instrumentalmusik überhaupt. Wichtig nämlich sind weniger die einzelnen, meist künstlerisch unzulänglichen
Kompositionen, die Wagner im Bereich der Instrumentalmusik geschaffen hat, als vielmehr die Intention, mit der
er sie schrieb, und die Stellung, die sie in seinem Schaffen insgesamt einnehmen. Erstaunlich und viel zu wenig
beachtet ist die Tatsache, daß der Opernkomponist,
Bühnenautor und Musikdramatiker Wagner eine leidenschaftliche Vorliebe für die Instrumentalmusik hatte;

und, wenn man weiß, daß er Beethovens Symphonien
zeit seines Lebens für die größten musikalischen Kunstwerke gehalten hat, verwundert es nicht, daß er selbst
symphonischen Ehrgeiz entwickelte. Wie sich bei nähe-
rem Zusehen herausstellt, hatte Wagner nahezu während
seines gesamten Lebens und Schaffens die Ambition, ein
großer und bedeutender Symphoniker zu werden oder
doch bedeutende und allgemein anerkannte symphonische Werke zu komponieren. Versuche dazu hat er
immer wieder unternommen. Freilich blieb es meist bei
den Versuchen, ging nur selten über Fragmente und
Pläne hinaus. Der Wagner unterstellte Ausspruch jedenfalls "Ich schreibe keine Symphonien mehr" — Titel
eines Buches aus jüngerer Vergangenheit — ist falsch
und nichts anderes als der Reflex der von Wagner selbst
inaugurierten Bayreuther Ideologie, nach welcher Wagner in hellsichtiger Erkenntnis der historischen Notwendigkeit das Symphonienschreiben aufgegeben habe, um
die Errungenschaften der Beethovenschen Symphonie,
ihrer eigenen Tendenz gemäß, im Musikdrama als dem
"Kunstwerk der Zukunft" aufgehen zu lassen. In Wahrheit ging Wagners Wunsch bis zuletzt dahin, Symphonien
zu schreiben, neben und unabhängig von Oper und Musikdrama. Diesen Wunsch einzugestehen, war freilich
nicht möglich: Wagner brauchte und verwendete seinen
symphonischen Ehrgeiz zur Legitimation der neuen
Gattung des Musikdramas, und nachdem einmal die
Symphonie zur historischen Vorstufe des Musikdramas
erklärt worden war, ließ sich das ernsthafte Komponieren von Symphonien nicht mehr plausibel machen.

Zum anderen brachte Wagner seine literarisch-dra-
matische Auffassung der Instrumentalmusik in Schwierigkeiten, denen er sich kompositionstechnisch nicht

gewachsen gefühlt zu haben scheint. Das Musikdrama wurde zum kompositorischen Ausweg, in welchem die in den Instrumentalkompositionen zumindest andeutungsweise entwickelten oder angewendeten Verfahrensweisen, etwa die Leitmotivtechnik, so ausführlich und systematisch entfaltet werden konnten, wie Wagner es sich vorstellte. Spezifisch musikalische Lösungen kompositorischer Probleme lagen Wagner fern. Es ist daher leicht einzusehen, warum er nicht, wie Brahms und Bruckner, durch hartnäckige Auseinandersetzung mit dem Symphonienschreiben einen direkten Weg zur Befriedigung seines symphonischen Ehrgeizes suchte und fand.

Zu widerlegen oder in Frage zu stellen ist jedoch nicht allein die gängige Behauptung von Wagners Entschluß, keine Symphonien mehr zu schreiben, sondern auch die landläufige These, daß die Symphonie im Musikdrama aufgehoben (enthalten) sei, ein Lehrsatz, nach dem die in den Musikdramen angewendeten Kompositionstechniken lückenlos an jene der Beethovenschen Symphonien anschließen. Allzu häufig noch wird Wagners mit großem schriftstellerischem Aufwand betriebener Versuch, das Musikdrama durch seine Ableitung von der Symphonie zu nobilitieren und zu legitimieren, für bare Münze genommen, als Aussage über die Wirklichkeit, während die tatsächlich symphonisch zu nennenden Eigenschaften und Merkmale des Musikdramas eher gering als groß an Zahl sind. Im übrigen bedürfte aber die Frage nach den kompositionstechnischen Beziehungen zwischen Symphonie und Musikdrama einer ausführlicheren Erörterung, als sie im Rahmen dieses Themas und dieses Buches gegeben werden konnte, das weit entfernt ist von dem Anspruch, das letzte Wort in dieser Sache gesprochen zu haben.

Auf ausführliche Dokumentationen und philologische Details habe ich verzichtet, weil sie einerseits durch die neue Wagner-Gesamtausgabe (Richard Wagner, Sämtliche Werke, in Verbindung mit der Bayerischen Akademie der Schönen Künste, München, herausgegeben von Carl Dahlhaus), andererseits durch das in Kürze bei Gustav Bosse in Regensburg erscheinende Wagner-Werkverzeichnis viel ausführlicher gegeben werden, als es im Rahmen dieser Veröffentlichung möglich gewesen wäre. Beides, Wagner-Gesamtausgabe wie -Werkverzeichnis, sei dem Leser nachdrücklich empfohlen. Von beiden Unternehmen hat dieses Buch sehr viel profitiert. Mein Dank gilt daher vor allen Dingen Martin Geck, der insbesondere den Komplex der Instrumentalkompositionen für das Werkverzeichnis erarbeitet hat und ohne dessen weitreichende Vorarbeiten dieses Taschenbuch gar nicht in dieser Weise hätte zustande kommen können. Zu danken habe ich aber auch Dietrich Mack für seine Unterstützung und meinen Kollegen in der Münchner Redaktion der Wagner-Gesamtausgabe Isolde Vetter, John Deathridge und Reinhard Strohm, die mir mit Rat und Tat geholfen haben. Schließlich noch ein Wort des Dankes an Frau Gertrud Strobel und das Richard Wagner Archiv der Richard Wagner Stiftung in Bayreuth und an Herrn Dr. Manfred Eger und die Richard Wagner Gedenkstätte der Stadt Bayreuth.

Egon Voss   München, Anfang August 1976

Wagners Begeisterung für die Instrumentalmusik

Wagner hat seine wichtigsten und tiefgreifendsten Eindrücke von der Instrumentalmusik erhalten, nicht von der Oper, wie bei einem "Opernkomponisten" zu vermuten wäre. Zwar ist nicht zu leugnen, daß Werke wie "Der Freischütz", "Fidelio" oder "La Juive" Wagner beeindruckt haben, und es ist gar nicht schwierig, Einflüsse von Weber, Marschner, Bellini und anderen Opernkomponisten im Werk Wagners nachzuweisen; Operernerlebnisse von ebenso tiefer wie nachhaltiger Wirkung waren jedoch die Ausnahme, nicht die Regel, und vor allem war keines von so zentraler Bedeutung wie das der Instrumentalmusik, insbesondere der Symphonien Beethovens. Es duldet keinen Zweifel, daß das "Fidelio"-Erlebnis von 1829 und der Eindruck, den 1834 Bellinis Oper "I Capuleti ed i Montecchi" auf Wagner machte, Theatererlebnisse waren — keine spezifischen Musikerlebnisse — gebunden nahezu ausschließlich an die Hauptdarstellerin beider Aufführungen, Wilhelmine Schröder-Devrient, deren Spiel und deren Darstellung den jungen Wagner faszinierten und überwältigten. Daß er in der Folge auch für die Musik dieser Opern schwärmte, versteht sich von selbst; aber schon unmittelbar nach dem Erlebnis der Bellini-Oper schrieb Wagner den Artikel "Die deutsche Oper"[1], der bei aller Sympathie für Bellini und seine Musik ganz und gar nicht ohne kritische Töne war. Die Begeisterung für Bellini — und das gilt für nahezu alle Opernkomponisten — war nicht ungeteilt.

Noch ein anderer Gesichtspunkt verdient Beachtung. Liest man Wagners Darstellung seiner "Freischütz"-Begeisterung, dann erhält man den Eindruck, als sei sie vor allem eine Begeisterung für die Ouvertüre des Werkes gewesen, ein Stück Instrumentalmusik also[2]. Das gleiche ist für "Oberon" und "Euryanthe" anzunehmen. Mit Sicherheit gilt es aber für den "Fidelio". Über die Ouvertüre dieser Oper, "Leonore III", schrieb Wagner 1870 in seiner Schrift über Beethoven: "Wer wird dieses hinreißende Tonstück anhören, ohne nicht von der Überzeugung erfüllt zu werden, daß die Musik auch das vollkommenste Drama in sich schließe? Was ist die dramatische Handlung des Textes der Oper 'Leonore' anderes, als eine fast widerwärtige Abschwächung des in der Ouvertüre erlebten Dramas . . .?"[3] 1880 notierte Cosima Wagner in ihrem Tagebuch: "Wir gehen zur Besprechung von Fidelio über, welchen R. [Richard] als des Komponisten der Symphonien nicht würdig erklärt, trotz herrlicher Einzelheiten".[4]

Wesentlicher und tiefgreifender als alle Opernerlebnisse, auch und gerade in bezug auf Wagners Laufbahn als Komponist, waren Wirkung und Einfluß der Instrumentalmusik, in deren Mitte für Wagner stets Beethovens

[1] SS XII, 1—4.
[2] vgl. Autobiographische Skizze, SB I, 95 und CT 9.11.1882.
[3] SS IX, 105
[4] CT 25.12.1880.

Symphonien gestanden haben. Wagners Faszination durch sie war grundlegend und hielt während seines gesamten Lebens an. Es ist aufschlußreich, wie Wagner sein Beethovenerlebnis in seinen autobiographischen Schriften dargestellt hat. In der "Autobiographischen Skizze" heißt es vom "Freischütz" lediglich: "Nichts gefiel mir so wie der Freischütz"[5], von der Musik Beethovens aber: "ihr Eindruck auf mich war allgewaltig" [6]. Die Wirkung von Beethovens 7. Symphonie nannte Wagner in seiner Autobiographie "Mein Leben" "unbeschreiblich"[7], und Cosima Wagner notierte am 23.2.1882 in ihrem Tagebuch: "Er spricht über den Anfang von der Fidelio-Ouvertüre (das Erste, was er von Beethoven gehört und was ihn übermäßig beeindruckt habe)". Abermals ist bemerkenswert, daß nicht die Oper, sondern ihre Ouvertüre den "übermäßigen" Eindruck hervorrief. Die Differenz im Eindruck, den Oper und Instrumentalmusik auf den jungen Wagner machten, kommt in einem Satz aus "Eine Mitteilung an meine Freunde" zum Ausdruck. Es heißt dort: "Ich schrieb Schauspiele, und das Bekanntwerden mit Beethovens Symphonien, das bei mir erst im fünfzehnten Lebensjahre erfolgte, bestimmte mich endlich auch leidenschaftlich zur Musik, die allerdings von jeher schon mächtig auf mich gewirkt hatte, namentlich durch Webers 'Freischützen'"[8]. Nicht die Oper war es, sondern die Instrumentalmusik — in der Ausprägung durch Beethoven —, die Wagner Komponist werden ließ. 1837 schrieb er an Meyerbeer, "eine leidenschaftliche

[5] SB I, 95.
[6] SB I, 97.
[7] ML 41.
[8] SS IV, 251f. — vgl. die Rote Brieftasche, wo es über das Jahr 1828 heißt: "Lerne Mozart kennen; Beethovens Symphonien. Neuentflammte Leidenschaft zur Musik". SB I, 81.

Verehrung Beethovens" habe ihn dazu getrieben, Komponist zu werden[9]. In der an autobiographischen Bezügen reichen Novelle "Eine Pilgerfahrt zu Beethoven" liest sich das so: "Ich weiß nicht recht, wozu man mich eigentlich bestimmt hatte, nur entsinne ich mich, daß ich eines Abends zum ersten Male eine Beethovensche Symphonie aufführen hörte, daß ich darauf Fieber bekam, krank wurde, und als ich wieder genesen, Musiker geworden war"[10].

Das Interesse des jungen Wagner – aber ebenso das des späteren, älteren – galt vornehmlich, wenn nicht ausschließlich der Instrumentalmusik, und auf diesem Gebiet wiederum vor allem der Musik Beethovens. Von nicht unerheblichem Einfluß dürfte dabei gewesen sein, daß Wagners musikalische Lehrer Christian Gottlieb Müller und Christian Theodor Weinlig der Oper fernstanden, Anhänger und Verehrer der Instrumentalmusik der Wiener Klassiker waren und – das trifft freilich nur auf Müller zu – selbst Symphonien komponierten. Müller scheint geradezu ein Beethoven-Enthusiast gewesen zu sein[11], und aus einer Tagebucheintragung Cosima Wagners geht hervor, daß auch bei Weinlig Beethovens Musik Gegenstand des Unterrichts gewesen ist[12]. Es nimmt daher nicht Wunder, daß sich der junge Wagner zu einem profunden Kenner der Werke Beethovens entwickelte. Der Kapellmeister Heinrich Dorn – in Leipzig 1830 der erste namhafte Musiker, der eine Komposition Wagners, die B-dur-Ouvertüre, öffent-

[9] Brief vom 4.2.1837, SB I, 323.
[10] SS I, 91.
[11] vgl. dazu: Werner Wolf, Richard Wagners geistige und künstlerische Entwicklung bis zum Jahre 1848, Diss., Leipzig 1966, S. 14.
[12] CT 3.1.1879.

14

lich aufführte, später in Riga Kollege Wagners — beschrieb Wagners frühe Beethovenbegeisterung und -kenntnis in einem Bericht für die "Neue Zeitschrift für Musik" 1838 in folgender Weise: "ich zweifle, daß es zu irgend welcher Zeit einen jungen Tonkünstler gegeben, der mit Beethovens Werken vertrauter, als der damals 18jährige Wagner. Des Meisters Ouvertüren und größeren Instrumentalkompositionen besaß er größtenteils in eigens abgeschriebenen Partituren, mit den Sonaten ging er schlafen und mit den Quartetten stand er auf . . ."[13]. Wie Wagner selbst in "Mein Leben" schrieb, galt er in Leipzig um 1830 als "exzentrischer Beethovenianer"[14]. Als er 1840 in Paris in einem Artikel für die "Revue et Gazette musicale" behauptete, in Deutschland kennten die meisten unter den Musikern eines Orchesters, das eine Beethovensche Symphonie spiele, diese auswendig, beschrieb er nichts anderes als seine eigene umfassende Kenntnis der Werke Beethovens, aber wohl kaum die allgemeine Situation[15].

Dorns Behauptung, Wagner habe Beethovens größere Instrumentalkompositionen größtenteils in "eigens abgeschriebenen Partituren" besessen, ist richtig. Erhalten sind Partiturabschriften der Egmont-Ouvertüre und der IX. Symphonie (Richard Wagner Archiv Bayreuth) sowie der V. Symphonie (Richard Wagner Gedenkstätte der Stadt Bayreuth). Wagner fertigte sie 1830 an, wie aus den Daten der Titelblätter hervorgeht. Allem Anschein nach hat er weitere Abschriften von Beethoven-Sympho-

---

13 Neue Zeitschrift für Musik, 24.7.1838.
14 ML 174. — vgl. Wagners Brief an Heinrich Dorn vom 7.8. 1836, in dem er sich als "Schwärmer und CI-DEVANT-Beethovenianer" bezeichnete, SB I, 315.
15 SS I, 154.

nien gemacht oder wollte sie zumindest machen; darauf jedenfalls läßt die Numerierung auf den Einbandrücken der eingebundenen Abschriften schließen. Die Kalligraphie, mit der Wagner diese Abschriften verfertigt hat, zeigt die Wertschätzung der abgeschriebenen Werke durch den jungen Wagner, deutet an, wieviel ihm diese Kompositionen wert waren. Überliefert ist im übrigen auch eine Abschrift der Partitur der Haydn-Symphonie D-dur Nr. 104, nach der Zählung der Breitkopf & Härtel -Ausgabe Nr. 2 (Henry E. Huntington Library and Art Gallery, San Marino, Kalifornien). Diese Kopie hat Wagner laut Datum auf der Titelseite im Jahre 1831 angefertigt. Auch diese Abschrift deutet durch die Numerierung auf dem Einbandrücken auf weitere Abschriften hin, und es ist sehr wahrscheinlich, daß Wagner zumindest auch die Symphonie Es-dur Nr. 103, alte Zählung Nr. 1 (s.o.), kopiert hat; denn er hat von diesem Werk einen heute allerdings verschollenen Klavierauszug zu zwei Händen hergestellt, den er im August 1831 Breitkopf & Härtel zum Verlag anbot[16]. Zwar ist offenkundig, daß Wagner mit seinen Klavierauszügen Geld verdienen wollte – vgl. die Briefe an Breitkopf & Härtel und Peters[17] –, indessen wäre zu diesem Zweck das Arrangieren von gängigen Opern oder beliebten Tänzen erfolgversprechender gewesen. Breitkopf & Härtel schickten denn auch den Klavierauszug der Haydn-Symphonie zurück, und auch der 1830 begonnene und – nach Fertigstellung – zu Ostern 1831 bei der Leipziger Messe dem Verlag B.Schott's Söhne ausgehändigte Klavierauszug von Beethovens neunter Symphonie wurde nicht publiziert.

[16] SB I, 120f.
[17] SB I, 118f.

Daß sich Wagner die Mühe des Abschreibens nicht immer machen wollte, versteht sich. Im Juni 1832, als er den Klavierauszug der Neunten zum zweiten Male an Schott schickte, verzichtete er auf ein Honorar, erbat sich aber als Gegenleistung die gestochenen Partituren der Missa Solemnis, der neunten Symphonie und der Quartette Es-dur op. 127 und cis-moll op. 131 sowie den Klavierauszug der Messe und die Hummelschen Arrangements der Beethovenschen Symphonien[18]. Ob Wagner die genannten Musikalien erhalten hat, wissen wir nicht. Indessen macht der Brief, in dem er um sie bat, auch ohne dies deutlich, wie wichtig ihm die genannten Werke waren. Er übertrieb nicht, als er 1841 in einem Brief schrieb, Beethoven sei "von je" sein Studium gewesen[19].

Während Wagner sich durch Abschriften und Arrangements intensiv mit Instrumentalmusik beschäftigte und auf diese Weise sich eine genaue und umfassende Kenntnis dieser Werke aneignete, scheint er entsprechende Studien in bezug auf Opernmusik nicht getrieben zu haben. Weder ist eine Abschrift erhalten, noch weiß man von anhaltender und ausführlicher Beschäftigung mit Opernpartituren. Während er sich bereits 1829 eine Kopie des Streichquartetts Es-dur op. 127 von Beethoven besorgen ließ[20] — er nannte sie in "Mein Leben" einen wunderbaren Besitz —, bekam er die Partitur von Webers "Euryanthe" erst 1836 zum ersten Male zu Gesicht[21], zu einer Zeit, als er bereits einige Jahre Theaterpraxis besaß; sicher ist überdies, daß er sie nur

[18] SB I, 129f.
[19] SB I, 483.
[20] ML 46.
[21] ML 153.

deshalb zu Gesicht bekam, weil eine Probe zu einer Aufführung zu leiten war. Zwar erwies sich Wagner bei dieser Probe — nach seiner eigenen Darstellung — als durchaus werkkundig, daß er die Partitur jedoch nie zuvor angeschaut hatte, veranschaulicht seine Gleichgültigkeit gegenüber der Oper, sein Desinteresse, das allein verständlich ist vor dem Hintergrund seines Engagements für die Instrumentalmusik. Hierher gehört auch eine ebenfalls in "Mein Leben" mitgeteilte Episode aus der Zeit des Engagements am Würzburger Theater 1833. Der junge Wagner sollte für seinen Bruder Albert, der als Sänger in Würzburg wirkte, eine dort nur im Klavierauszug zugängliche Arie aus Bellinis Oper "Il Pirata" instrumentieren, war dazu aber nicht in der Lage, weil er mit Bellinis Partituren augenscheinlich nicht vertraut war[22]. Erstaunlich auch für einen Opernkomponisten und Musikdramatiker, daß Wagner, der bereits 1828 Gelegenheit gehabt hatte, Marschners "Vampir" unter des Komponisten eigener Leitung in Leipzig zu erleben, und über seine am Leipziger Theater beschäftigte Schwester, die Schauspielerin Rosalie Wagner, sicher auch in der Lage gewesen wäre, das Werk genauer kennenzulernen als andere, in seiner Autobiographie es so darstellte, als hätte er sich mit dem Werk erst eingehender beschäftigt, als er es in Würzburg 1833 einstudieren mußte, also von Berufs wegen dazu verpflichtet war[23]. Immerhin repräsentierten Marschners Werke die modernste Form der deutschen Oper bzw. der Oper in Deutschland. Wagner jedoch hatte wenig Interesse an der Oper. Mehrere Gründe lassen sich dafür beibringen. Wagner selbst sprach in der autobiographischen Schrift "Eine Mitteilung an meine Freunde" in

---

[22] ML 92.
[23] ML 91.

bezug auf seine Jugend davon, daß sein "Widerwille, selbst zum Theater zu gehen" auffallend gewesen sei[24]. Er habe "eine gewisse Verachtung, ja einen Abscheu vor dem geschminkten Komödiantenwesen" gehabt, heißt es an gleicher Stelle, ein Gefühl, das sich kaum je verändert haben dürfte. In "Zukunftsmusik" erklärte Wagner, "der typisch gewordene Geist unserer Opernaufführungen" erfüllte ihn "mit Ekel"[25], und 1878, während der Komposition am "Parsifal", sagte er im Hinblick auf die Aufführung, es graue ihm "vor allem Kostüm- und Schminkewesen"[26]. Die Oper erschien Wagner als "frivoles Institut"[27]. Zur moralischen Fragwürdigkeit, zu der die Integrität der Instrumentalmusik in auffallendem Gegensatz stand, kam die künstlerisch-ästhetische Unzulänglichkeit der Oper, die Wagner in seinen Zürcher Schriften "Das Kunstwerk der Zukunft" und "Oper und Drama" nachzuweisen suchte, eine Untauglichkeit, von der Wagner meinte, daß kein "Reformversuch"[28] sie in Tauglichkeit verwandeln könne. Es dürfte indessen weniger tatsächlicher Einsicht in das Wesen der Oper als vielmehr der Faszination und der Prägung durch die Instrumentalmusik zuzuschreiben sein, daß Wagner sich von der Oper abkehrte. Wenn Wagner in "Zukunftsmusik" von dem "eigentümlichen Widerstreit" sprach, "in welchen zu unserer Zeit ein deutscher Musiker sich versetzt fühlte, der, mit der Symphonie Beethovens im Herzen, zum Befassen mit der modernen Oper" sich gedrängt sehe[29], so war kein Zweifel daran, wie Wagner, der damit seine eigene

[24] SS IV, 251.
[25] SS VII, 96.
[26] Glasenapp VI, 137 f.
[27] Zukunftsmusik, SS VII, 98.
[28] ebda.
[29] SS VII, 95.

19

Situation beschrieb, den Widerstreit lösen würde. "Ich schreibe keine Opern mehr", hieß es darum schon in "Eine Mitteilung an meine Freunde"[30], und es ist bezeichnend, daß Wagner einen ähnlichen Satz in bezug auf die Instrumentalmusik nie gesagt hat. "Ich schreibe keine Symphonien mehr", wie Otto Daube 1960 ein Buch über Wagner betitelte, ist eine unzulässige Parodie.

Elmar Arro[31] hat gezeigt, daß Wagner in seiner Rigaer Zeit durchaus nicht die am Theater der Stadt gegebenen Möglichkeiten genutzt hat, vielmehr der Eindruck entstand, als interessiere sich Wagner für das Theater und die Oper, für die er ja engagiert war, überhaupt nicht. Zahlreich sind die Zeugnisse über das Unbehagen an der späteren Dresdner Kapellmeisterstellung, und es ist Wagner zu glauben, wenn er später behauptete, er sei froh gewesen, durch die 1849er Ereignisse gezwungen worden zu sein, diese Position aufzugeben. Die Idee einer eigenen Aufführungsstätte für musikdramatische Werke, wie sie dann im Bayreuther Festspielhaus Wirklichkeit wurde, — zum ersten Mal geäußert übrigens schon 1850 in einem Brief an E.B.Kietz[32] — war Wagners Antwort auf die Oper und das Operntheater.

Wagners Abneigung gegen das Theater und gegen die Oper, so massiv sie war, kann freilich nicht darüber hinwegtäuschen, daß Wagner andererseits dennoch, wie er selber schrieb, vom Theater *gefesselt* war[33]. "Die ganz unvergleichliche Wirkung dramatischer Musikkombinationen, eben im Momente der Darstellung"[34], die "un-

[30] SS IV, 343.
[31] Richard Wagners Rigaer Wanderjahre, in: Musik des Ostens III, Kassel 1965, S. 123—168.
[32] 14.9.1850, SB III, 404f.
[33] SS VII, 96.
[34] ebda.

nachahmlichen Vorzüge der dramatischen Musik"[35] ließen ihn am Prinzip der theatralischen Darstellung festhalten. Seinem "dramatisch-musikalischen Ideal" entsprach jedoch kein modernes Theater, weder Schauspiel- noch Opernhaus, sondern das "Theater des alten Athen", "wo mit dem Genusse der Kunst zugleich eine religiöse Feier begangen ward"[36].

***

Nach "Mein Leben" war es Beethovens neunte Symphonie, durch die sich der junge Wagner "den abliegendsten Tiefen der Musik nachzuforschen gedrängt gefühlt hatte"[37], und über den Anlaß zur Aufführung des Werks 1846 in Dresden schrieb er später: "Eine große Sehnsucht erfaßte mich zur Neunten Symphonie"[38], beides Äußerungen, die charakteristisch sind für Wagners uneingeschränkten Enthusiasmus für die Instrumentalmusik, Äußerungen auch, die es in bezug auf Opern und Opernmusik nicht gibt. Der Eindruck der Musik Beethovens auf den jungen Wagner 1828 in Leipzig — Egmont-Musik, Klaviersonaten, 7. Symphonie — in Verbindung mit Details aus Beethovens Biographie und der Physiognomie seines Gesichts, bekannt durch zahlreiche verbreitete Lithographien, ließen in Wagner — nach seinen eigenen Worten — "ein Bild erhabenster überirdischer Originalität, mit welcher sich durchaus nichts vergleichen ließ", entstehen[39]. Von dem Thema des Finales des a-moll-Quartetts op. 132 sagte Wagner — nach Cosi-

---

[35] SS VII, 133.
[36] SS VII, 99.
[37] ML 500.
[38] ML 387.
[39] ML 41.

mas Tagebuch — "etwas ähnliches Schönes wie die Modulation und den Abschluß des Themas gäbe es gar nicht mehr in der Musik"[40]. Ähnliche Aussprüche sind auch über Musik Haydns und Mozarts überliefert. Über das Andante der sog. Paukenschlag-Symphonie (G-dur Nr. 94) von Haydn sagte Wagner, "daß das zum Schönsten gehöre, was je geschrieben worden"[41], und zu den Themen des ersten und zweiten Satzes von Mozarts g-moll-Symphonie KV 550 meinte er, "man müsse sie in Diamant fassen"[42]. Enthusiastisch auch die Worte über Mozarts Klavierphantasie in c-moll: "Ja, ich fand sie bei Onkel Adolf, und da ist sie lang die Leitung meiner Träume gewesen"[43].

Aus vielen Äußerungen Wagners über die Instrumentalmusik — die für ihn allerdings stets in wenig mehr als den Werken der Wiener Klassiker, später auch zunehmend Kompositionen J.S.Bachs, bestand — spricht neben schwärmerischer Begeisterung und Verehrung eine Haltung, die — jenseits aller Kritik — zur Anbetung tendierte. Wagner hat insbesondere um die Symphonien Beethovens, seine späten Quartette und Sonaten geradezu einen Kult entwickelt und gepflegt. Epitheta wie "himmlisch" und vor allem "göttlich", mit denen er u.a. die Sonate c-moll op. 111 und die Symponien Nr. 7, 8 und 9 — insgesamt oder teilweise — rühmte und zu beschreiben versuchte, sind dafür charakteristisch[44]. Auch in der Beethoven-Schrift von 1870 kommt die Charakterisierung "göttlich" vor. Dort auch schrieb Wagner, es sei

[40] CT 1.12.1877.
[41] CT 26.2.1878.
[42] CT 10.2.1878.
[43] CT 29.12.1879.
[44] CT 28.4.1880/3.8.1881/2.1.1878/17.10.1879/23.3.1882.

ganz unmöglich, "das eigentliche Wesen der Beethovenschen Musik besprechen zu wollen, ohne sofort in den
Ton der Verzückung zu verfallen"[45]. Oft auch brachte
Wagner Begriff und Bild des Paradieses mit Beethovens
Musik in Verbindung. So erschien ihm die Melodik des
letzten Satzes der Sonate Es-dur Op. 7 als "verlorenes
Paradies"[46]. In der Beethoven-Schrift heißt es: "'Mit mir
seid heute im Paradiese' — wer hörte sich dieses Erlöser-
wort nicht zugerufen, wenn er der 'Pastoral-Symphonie'
lauschte?"[47], und über den zunächst rein instrumentalen
Vortrag der Freudenmelodie im letzten Satz der neunten
Symphonie ist in der gleichen Abhandlung zu lesen:
"ganz für sich, nur von Instrumenten vorgetragen, hat
diese Melodie zuerst sich in voller Breite vor uns entwik-
kelt, und uns dort mit der namenlosen Rührung der
Freude an dem gewonnenen Paradiese erfüllt"[48]. "Erlösung", "Paradies", "Göttlichkeit" stehen in unmittelbarem Zusammenhang mit dem folgenden, von Cosima
überlieferten Ausspruch, bezogen auf ein Thema von
Beethovens cis-moll-Quartett op. 131: "Wie einen Gott
könnte ich den Menschen anbeten, der so etwas erfin-
det"[49]. Wagner bezeichnete Beethoven als den größten
Melodiker, "der je gelebt; er war wie die Kondeszendenz
eines Gottes, wie das Mädchen aus der Fremde, die zu
den Hirten kommt"[50]. Vor diesem Hintergrund wird
verständlich, daß Wagner nach einer Aufführung des a-
moll-Quartetts op. 132 in Wahnfried 1876 "ganz ergriffen eine Weile sitzen" blieb und dann sagte: "Man

[45] SS IX, 87.
[46] CT 4.11.1879.
[47] SS IX, 92.
[48] SS IX, 101. — vgl. CT 29.12.1879/29.4.1880.
[49] CT 16.10.1880.
[50] CT 16.1.1880.

23

frägt sich nur, ob man würdig ist, etwas so Überirdisches hören zu dürfen"[51]. Ehrfurcht und Bewunderung, aber auch Anspruch und Selbstkritik sprechen aus einer Tagebuchnotiz Cosimas, nach welcher Wagner "die Melodie aus dem ersten Satz" der neunten Symphonie in den Sinn gekommen sei und er sich gesagt habe: "So etwas hast du nicht gemacht"[52]. Das geschah während der Vorbereitung zu der spektakulären Aufführung der Symphonie, mit der Wagner 1872 den Tag der Grundsteinlegung zum Bayreuther Festspielhaus feierte. Es zeigt, daß die Instrumentalmusik, als deren höchste Aufgipfelung Wagner Beethovens neunte Symphonie verstand, den Maßstab für das eigene Schaffen bildete, und deutet Wagners verborgene, geheim gehaltene Sehnsucht an, ein großer und bedeutender Instrumentalkomponist, ein Symphoniker in der Nachfolge und vom Range Beethovens zu werden.

***

Die Faszination durch die Instrumentalmusik führte zu einer intensiven und regelmäßigen Pflege der Standardwerke von Haydn, Mozart und Beethoven, sei es daheim am Klavier — zwei- oder vierhändig — und beim Quartettstudium, sei es in der Öffentlichkeit mit der Aufführung von Symphonien und Ouvertüren. Mathilde Wesendonck teilte in ihren Erinnerungen mit: "Da ich Beethoven liebte, spielte er mir die Sonaten; war ein Konzert in Sicht, wo er eine Beethoven'sche Symphonie zu leiten hatte, so war er unermüdlich und spielte

[51] Felix Mottls Tagebuchaufzeichnungen aus den Jahren 1873–1876, hg. v. W. Krienitz, in: Neue Wagner-Forschungen, hg. v. O. Strobel, Karlsruhe 1943, S. 201.
[52] CT 2.5.1872.

24

vor und nach der Probe die betreffenden Sätze so lange, bis ich mich ganz heimisch darin fühlte. Es freute ihn wenn ich ihm zu folgen vermochte und an seiner Begeisterung die meinige entzündete"[53]. Daß und in welchem Ausmaß die Symphonien Beethovens zum täglichen Leben Wagners gehörten, veranschaulicht vielleicht am deutlichsten die kuriose Tatsache, daß nach Wagners eigener Schilderung in "Mein Leben" Wagners Papagei Papo Themen aus Beethovenschen Symphonien zu pfeifen pflegte[54]. Über Wagners häusliches Musizieren wissen wir im übrigen aber leider wenig oder gar nichts, ausgenommen die durch die Cosima-Tagebücher abgedeckte Zeit von 1869 bis 1883. Diese Zeugnisse geben jedoch ein umfassendes Bild von dem Repertoire, das im Hause Wagner gepflegt wurde. Dazu gehörten selbstverständlich die großen Symphonien Haydns und Mozarts, ohne daß sich immer genau feststellen ließe, um welche Werke es sich im Einzelnen gehandelt hat. Musiziert wurden nachweislich die Haydn-Symphonien Nr. 82 (Der Bär), 94 (mit dem Paukenschlag), 100 (Militärsymphonie) und 104. Von Mozart sind die letzten vier Werke gespielt worden. Im Mittelpunkt aber standen selbstverständlich die Symphonien Beethovens, allerdings waren die erste und zweite ausgenommen. Eine unverkennbare Vorliebe hatte Wagner für die Symphonien Nr. 7 und 8, ohne daß dadurch aber die Sonderstellung der neunten Symphonie angetastet worden wäre. Neben den Symphonien, zu denen sich noch einzelne Ouvertüren wie die zu Egmont und zu Coriolan oder Stücke wie Wellingtons Sieg gesellten, dominierten Streichquartette der drei Wiener Klassiker. Entweder — was naturgemäß die Regel

---

[53] Heintz, Richard Wagner in Zürich, 93.
[54] ML 525f.

war — spielte man die Kompositionen in vierhändigen Arrangements, oder aber man veranstaltete Quartettabende, wie jenen, über den — wie zitiert — Felix Mottl berichtet hat. Im Mittelpunkt auch hier die Quartette Beethovens. Wagner favorisierte op. 59 und die späten Werke ab op. 127, während die Stücke op. 18 nicht seinen ungeteilten Beifall fanden. Trios wurden allem Anschein nach seltener gespielt. Nachweisen lassen sich aber häusliche Aufführungen der Beethoven-Trios D-dur op. 70/1 und B-dur op. 97. Daß Klaviersonaten eine untergeordnete Rolle spielten, lag nahe, da Wagner ein allenfalls durchschnittlicher Klavierspieler war, und Virtuosität ihm völlig abging. Sonaten pflegte er sich daher im allgemeinen von entsprechend versierten Gästen vorspielen zu lassen. War Liszt zugegen, so mußte er die späten Beethoven-Sonaten spielen, für die Wagner eine besondere Neigung hatte. Aber auch Werke wie die Sonaten cis-moll op. 27/2, f-moll op. 57 (die sog. Appassionata) und Les Adieux op. 81a wurden musiziert. Als Joseph Rubinstein in Bayreuth lebte und Wagners Hauspianist war, kam auch das Klaviermusikrepertoire stärker zur Geltung. 1874/75 z.B. erklangen in Wahnfried die Variationen op. 35 (die sog. Eroica-Variationen), Bagatellen — dabei muß offenbleiben, welcher Zyklus gemeint ist — sowie die Diabelli-Variationen op. 120. Die Gelegenheit, einen Cellisten wie den späteren "Parsifal"-Dirigenten Franz Fischer im Hause zu haben, nutzte Wagner sogleich zur Aufführung Beethovenscher Violoncello-Sonaten. Ähnlich war es beim Aufenthalt Hans Richters in Tribschen 1870/71 gewesen. Da Richter auch Geiger war, wurden Violinsonaten von Beethoven musiziert, eine Spezies allerdings, deren Besetzung sich nicht mit

[55] vgl. Oper und Drama, SS IV, 170.

Wagners Empfindlichkeit in Fragen der Klangverbindung
und Homogenität in Einklang bringen ließ[55].

In Bayreuth trat zunehmend Bachs "Wohltemperier-
tes Klavier" ins Zentrum von Wagners Interesse. Insbesondere während der Komposition des "Parsifal" wurden
Bachsche Präludien und Fugen in Wahnfried musiziert[56]. Diese Kompositionen waren für Wagner freilich
eher Musik schlechthin als Musik für bestimmte Instru-
mente, Instrumentalmusik im strengen Sinne. Galt ihr
Wagners uneingeschränkte Bewunderung und Verehrung, so wurde Instrumentalmusik anderer, jüngerer
Komponisten mit kritischer Distanz gespielt oder studiert. Das gilt vor allem für Berlioz und Mendelssohn-
Bartholdy, deren Instrumentalkompositionen, wenn
auch selten, so doch wiederholt Gegenstand der Haus-
musik und der ästhetischen Reflexion in Wahnfried waren. Die Werke, um die es dabei ging, waren Mendelssohns Hebriden- und Sommernachtstraumouvertüre, von
Berlioz dei Symphonie fantastique, die Harold-Sympho-
nie, Romeo und Julia, sowie die Ouvertüren zu König
Lear und zu Benvenuto Cellini. Bei allen Vorbehalten,
die Wagner gegen diese Musik hatte und selbstverständlich auch aussprach, ist indessen auch hier die Bewunderung für einzelne Züge und Charakteristika nicht zu verkennen, so wenn Wagner sagte, "die Hebriden-Ouvertüre
sei ja ein viel größeres künstlerisches Meisterwerk als die
zu Oberon, aber hier sei Seele, Feuer"[57], oder zu Berlioz
bemerkte: "Dürftigkeit, Streifen an Gemeinheit, bei großer Exzentrizität, ein Sich-Verlieren in Details, dabei
doch wirkliche Einfälle. 'Ich habe mir Themen von ihm
gemerkt — ein Thema des Adagio aus Romeo ist wun-

[56] Einen Überblick über Wagners Ansichten und Meinungen
zu Bachs Musik gibt Martin Gecks Aufsatz "Richard Wagner und die ältere Musik".
[57] CT 11.3.1881 — vgl. Glasenapp VI, 220f.

dervoll'"[58]. Aus dieser Kennzeichnung spricht sehr
deutlich Wagners Abneigung gegen das, was man Programmusik nennt. Sie erklärt auch, warum Liszts Symphonische Dichtungen nicht zu der im Hause Wagner ge-
pflegten Musik gehörten. Daß sie gespielt wurden, wenn
Liszt zu Besuch weilte, ist kein Beweis für das Gegenteil:
denn außerhalb dieser Zeiten erklangen sie nicht. Zumindest wissen wir nichts darüber.

Daß sich Wagner für die zeitgenössische Instrumentalmusik besonders interessiert hätte, kann man wohl nicht
behaupten. Zeugnisse dafür, daß er z.B. Schumanns
Oeuvre mehr als nur oberflächlich gekannt hat, gibt es
nicht, und die Beschäftigung mit der Musik von Brahms
geschah auch nur so obenhin, auf Anregung von Joseph
Rubinstein, nicht aus eigenem Antrieb, und bestimmt
durch Vorurteile und Ressentiments gegen den unlieb-
samen, von der Universität Breslau als "ersten jetzt le-
benden Meister deutscher Tonkunst strengeren Stils" mit
der Ehrendoktorwürde ausgezeichneten Konkurrenten,
der die volle Anerkennung von Wagnerkritikern wie
Eduard Hanslick genoß und gegen Wagner ausgespielt
zu werden pflegte.

Zur Musik, die im Hause Wagner erklang, gehörten
auch Instrumentalkompositionen von Wagner selbst.
Faust-Ouvertüre und Siegfried-Idyll wurden regelmäßig
gespielt, daneben aber auch Jugendwerke und Gelegenheitskompositionen wie die Albumblätter für Klavier,
die Trauermusik auf Themen aus Webers "Euryanthe"
und die Märsche. Bedingt durch Verlagsforderungen
und Cosimas Eifer bei der Suche nach Zeugnissen zur
Biographie und zum Schaffen Wagners wurden so gut

[58] CT 14.1.1879.

wie alle Jugend- und Studienwerke, deren man habhaft werden konnte, hervorgeholt, gespielt und begutachtet. Meist gab es negative Urteile, und kaum eines der frühen Werke ist zur Publikation zugelassen worden. Auf seine C-dur-Symphonie jedoch war Wagner stolz. Ähnliche Wertschätzung brachte er der fis-moll-Fantasie entgegen.

***

Das häusliche Musizieren der klassischen Meisterwerke gehörte einerseits zur Pflege des kulturellen Erbes. Andererseits boten die Symphonien Beethovens, Mozarts und Haydns, ihre Sonaten und Quartette Anregungen für den Komponisten. Gerade in Zeiten, in denen Wagner komponierte, wie z.B. in der Zeit der Komposition des 3. "Siegfried"-Aufzuges, wurde viel aus Haydns und Mozarts Symphonien musiziert. Wagner nannte sein Bekanntwerden mit den Symphonischen Dichtungen Franz Liszts im Herbst 1853 "bedeutungsvoll anregend; ging ich doch selbst damit um, endlich nach so langer Unterbrechung mich wieder der musikalischen Produktion zuzuwenden"[59]. Das Morin-Chevillard-Quartett, von dem Wagner im Oktober 1853 Beethovens cis-moll-Quartett op. 131 hörte, wirkte — nach "Mein Leben" — "ganz außerordentlich anregend"[60]. Als Wagner den "Tristan" vollendet hatte, fuhr er nach Paris. Warum er es tat, beschrieb er später in seiner Autobiographie: "Mir blieb nach langer Erwägung nichts als der Entschluß übrig, mich nach Paris zu wenden, sei es auch nur, um mich dessen zu versichern, daß ich dann und

[59] ML 576.
[60] ML 584.

wann ein gutes Orchester, ein vorzügliches Quartett hören könnte; denn die Entbehrung dieser Anregungen war mir in Zürich doch endlich unerträglich geworden"[61]. Über die Wirkung von Habenecks Proben und Aufführungen von Beethovens Symphonien auf Wagner braucht kaum gesprochen zu werden; Wagner hat sie so oft und so nachdrücklich erwähnt, daß sie allgemein bekannt ist und fast schon mythische Dimensionen hat.

***

Als Dirigent bemühte sich Wagner sehr engagiert um die Pflege der Instrumentalmusik. In Riga richtete er 1838 nach dem Vorbild der Leipziger Gewandhauskonzerte eine Reihe von sechs Konzerten ein, in denen er neben Ouvertüren von Beethoven, Cherubini, Weber und Mendelssohn-Bartholdy vor allem Mozarts g-moll-Symphonie KV 550 und die Beethoven-Symphonien Nr. 3 bis 8 aufführte[62]. Eine ähnliche Initiative ergriff Wagner einige Jahre später als sächsischer Hofkapellmeister. 1846 schlug er in einer Denkschrift "Die Königliche Kapelle betreffend" die "Errichtung von Kapellkonzerten" vor[63]. Die Ausführlichkeit, mit der er in "Mein Leben" darüber berichtete[64], entspricht dem Tenor der Eingabe, in der es von der "höheren Instrumentalmusik" hieß: "Die Pflege dieser Musik hat aber die wichtigsten Wirkungen: — einerseits wird dadurch das Publikum für die edelste Richtung der Musik fortdauernd gebildet, andererseits können die Leistungen eines Orchesters nur gewinnen, welches sich wiederholt durch die Ausfüh-

[61] ML 685.
[62] vgl. SB I, 346—350.
[63] SS XII, 191.
[64] ML 401f.

rung dieser edelsten Kompositionen für dieselbe übt"[65]. Wagner hatte zunächst keinen Erfolg, kam aber im Winter 1847/48 auf seine Denkschrift zurück, mit dem Erfolg, daß 1848 drei Abonnementskonzerte stattfanden, in denen Wagner als Hauptwerke Mozarts D-dur-Symphonie (vermutlich KV 504), Haydns D-dur-Symphonie Nr. 104, Mendelssohn-Bartholdys Symphonie a-moll op. 56 (die sog. Schottische) und die Beethoven-Symphonien Nr. 3, 5 und 7 aufführte. Wagners Engagement für diese Konzerte teilte sich allgemein mit. In einer Rezension wurde festgestellt, daß dem Kapellmeister Wagner "dieses neue Institut wirklich nicht nur Ehre, sondern auch Herzenssache zu sein scheint"[66]. Sehr viel Anerkennung hatte Wagner zuvor für seine Aufführung von Beethovens neunter Symphonie am Palmsonntag 1846 in Dresden erhalten, einer Aufführung, der Wagner selbst soviel Bedeutung beimaß, daß er den Bericht darüber als einzigen zu seinen Lebzeiten veröffentlichten Auszug aus seiner Autobiographie in seinen "Gesammelten Schriften und Dichtungen" publizierte. In "Mein Leben" erwähnte Wagner, er habe von dem Bildhauer Hänel "als Zeichen seiner anerkennungsvollen Teilnahme einen vollständigen Gipsabdruck eines zum Beethoven-Monument gehörigen Bas-Reliefs, die Symphonie darstellend, als Zimmerschmuck erhalten"[67], ein Geschenk, das wohl kaum dem Operndirigenten Wagner gegolten hat.

Als Wagner in seinem Schweizer Exil von der Allgemeinen Musikgesellschaft in Zürich um seine Mitwirkung in ihren Konzerten gebeten wurde, setzte er selbstver-

---

[65] SS XII, 192.
[66] Kirchmeyer III, Spalte 393.
[67] ML 400.

ständlich   Beethovens Symphonien aufs Programm[68].
"Programmatische Erläuterungen" wurden verfaßt —
auch sie Zeichen der intensiven Anteilnahme Wagners
an der Instrumentalmusik, speziell den Werken Beethovens.[69] Wie sehr sich Wagner bei diesen Konzerten engagiert hatte, ist aus seiner Enttäuschung über die angebliche Wirkungslosigkeit seiner Aufführungen und Inter-
pretationen in Zürich zu entnehmen. Cosima Wagner
hielt in ihren Tagebüchern einen Ausspruch Wagners
vom 7.6.1870 fest, der lautete: "wenn ich an dieses
Zürich denke, wo ich 9 Jahre zugebracht und nichts
gehaftet hat; die Symphonien von Beethoven habe ich
dort aufgeführt, alles ist weggewischt". Auch in Zürich
war Wagner für mehr Konzertveranstaltungen eingetre-
ten, bezeichnenderweise im Zusammenhang mit der
Forderung nach Reduzierung der Anzahl der Opernvorstellungen auf "zwei oder höchstens (und nur in gewissen
günstigen Fällen) drei Vorstellungen im Laufe einer
Woche"[70]. Das geschah in der kleinen Schrift "Ein Theater in Zürich". Wagner schlug die Verringerung der Zahl
der wöchentlichen Opernaufführungen vor "vielleicht bei
Verdoppelung der bisherigen Zahl der Konzertaufführun-
gen während des Winters"[71].

Wagners Ruf als Dirigent von Instrumentalmusik
brachte ihm 1855 ein Engagement nach London ein, wo
er die acht Saisonkonzerte der Philharmonischen Gesellschaft dirigierte. Im Mittelpunkt standen auch hier die
Symphonien Beethovens; mit Ausnahme der ersten und
zweiten wurden alle aufgeführt. Freilich war Wagner mit

[68] vgl. Fehr I.
[69] SS V, 169—176.
[70] SS V, 50.
[71] ebda.

32

den ihm im übrigen wohl vorgeschriebenen Programmen sowohl nach Quantität als auch nach Qualität nicht einverstanden[72], und außerdem scheint Wagners Art der Interpretation in London nicht den Erfolg gehabt zu haben, den sie in Zürich und zuvor in Dresden gehabt hatte. Jedenfalls zog sich Wagner von Unternehmungen dieser Art zurück. Konzerte zu leiten, wurde ihm ähnlich verhaßt wie das Dirigieren von Opernvorstellungen. Das betraf allerdings mehr die Institution des Konzerts als die darin aufgeführte Musik. Am 12.5.1872 machte Cosima Wagner die Tagebucheintragung: "R. sagt, es sei das letzte Konzert, das er dirigiere, namentlich Fragmente aus seinen Werken seien ihm widerwärtig aufzuführen. Eine Beethovensche Symphonie, die würde er immer gern dirigieren". Das Konzert, auf welches sich der Ausspruch bezieht, fand in Wien statt und enthielt als Hauptwerk Beethovens "Eroica". Wagner hat später nie den Wunsch geäußert, eine Oper zu dirigieren, und er war nie Festspieldirigent in Bayreuth — wie später sein Sohn Siegfried —, aber den Gedanken, Symphonien aufzuführen und zu dirigieren, hatte er mehrfach. Cosima Wagner berichtete z.B. am 20.12.1880: "Im Hofgarten sagt er mir: 'Wenn ich ein Orchester zu meiner Disposition hätte, wäre es mir eine Freude so etwas wie den letzten Satz der Es-dur-Symphonie von Mozart einzustudieren, mit all seinen Feinheiten herauszubringen — und das im schnellsten Tempo".

Als Wagner am 22.5.1872 in Bayreuth den Grundstein zum Festspielhaus legte und diesen Tag mit der Aufführung eines beziehungsreichen musikalischen Kunstwerks feierte, wählte er keine Oper, kein Werk

[72] Die Programme bei Glasenapp III, 72—95.

des Musiktheaters, sondern Beethovens neunte Symphonie. Er bekundete damit seine Vorliebe für die Instrumentalmusik und seine Auffassung, daß sein eigenes musikdramatisches Schaffen auf der Instrumentalmusik, der Symphonie Beethovens fuße und nicht auf der Oper. In die gleiche Richtung zielte seine nach Cosimas Tagebüchern am 6.12.1881 geäußerte Absicht, zwischen den Aufführungen im Bayreuther Festspielhaus "Symphonien aufzuführen". Es ging darum, die wahre Verwandtschaft zu dokumentieren und zu beweisen und damit der Auslegung der Musikdramen als Opern entgegenzutreten.

***

Konnte Wagner Instrumentalwerke größerer Besetzung als Dirigent zur Aufführung bringen, so blieben ihm andere Gattungen der Instrumentalmusik insofern verschlossen, als er selbst kein ausgebildeter Instrumentalist war, der am Klavier oder mit einem Streichinstrument Kammermusik hätte musizieren können. Dennoch entwickelte Wagner auch in dieser Beziehung Aktivität. Als sich im Herbst 1853 in Zürich ein Quartett gebildet hatte, das für den Winter 1853/54 sechs Konzerte anbot, schrieb Wagner eine Empfehlung, die dem Werbetext in der Zeitung beigefügt wurde. Sie lautete: "Es sollte mir angenehm sein, zur Empfehlung der beabsichtigten Quartett-Aufführungen so viel beitragen zu können, als es mir bereits gelang, zur Anregung des Unternehmens selbst zu tun. Sollte mir dies dadurch gelingen, daß ich meine eigene Teilnahme an den Aufführungen durch fortgesetzte Erteilung meines künstlerischen Rates für Auffassung und Vortrag der auszuführenden Meisterwerke verspreche, so stehe ich nicht an, diese Zusicherung hier ebenso dem Publikum zu geben, wie sie bereits die betreffenden Künstler selbst auf ihren Wunsch von mir empfangen haben"[73]. Wagner selbst hatte zur Bildung des Quartetts beigetragen und übte so etwas wie die Funktion eines künstlerischen Beraters aus. Über das Studium von Beethovens cis-moll-Quartett op. 131 im Spätherbst 1854 hat Wagner in "Mein Leben" berichtet[74], und für die Aufführung am 12.12.1854 verfaßte er eine Einführung[75]. Nach Max Fehr bestand die Zusammenarbeit mit dem Quartett bis zu Wagners Weggang aus Zürich im August 1858[76]. Eine weitere Initiative zur Bildung eines Streichquartetts unternahm Wagner im Herbst 1870, als Hans Richter, der sich sowohl auf die Geige als auch auf die Bratsche verstand, in Tribschen bei Wagner wohnte, um eine Kopie der Partitur des "Siegfried" anzufertigen. Nach Cosimas Tagebuch hatte Wagner am 5.11. den Wunsch zur Bildung des Quartetts geäußert: "Richter die Bratsche, die drei andren aus Zürich kommen lassen". Am 31.12.1870 fand dann die erste Probe mit dem neuen Quartett in Tribschen statt, mit dem Wagner im Laufe eines Vierteljahres sämtliche Beethoven-Quartette außer op. 18 und 59/3 studierte[77]. Am 17.2.1871 veranstaltete dieses Quartett eine zumindest halböffentliche Aufführung im Zürcher Hotel Baur au lac. In Bayreuth schließlich wiederholte sich die Streichquartettinitiative. In Cosimas Tagebuch ist unter dem 1.6.1873 zu lesen: "Besprechung abends des zu bildenden Quartetts". Daß während der Proben und Aufführungen der ersten Festspiele 1876 in Wahnfried Quartette gespielt wurden, kam bereits zur Sprache.

* * *

[73] Fehr I, 255.
[74] ML 595.
[75] SS XII, 350.
[76] Fehr I, 257.
[77] Zur weiteren Information vgl. Fehr II, 318–322.

Der praktischen Pflege der Instrumentalmusik entspricht Wagners theoretische Auseinandersetzung mit diesem Genre der Musik. Freilich heißt Wagners Hauptwerk "Oper und Drama" und nicht etwa "Oper und Symphonie". Im Mittelpunkt stand stets der Versuch der Legitimation der eigenen Abkehr von der Oper, die Rechtfertigung des Musikdramas. Der Kritik an der Oper korrespondierte jedoch das Lob der Instrumentalmusik, der Enthusiasmus für die Symphonie. Schon in Wagners erstem Artikel, "Die deutsche Oper" — 1834 in Laubes "Zeitung für die elegante Welt" erschienen — wird festgestellt: "Wir haben allerdings ein Feld der Musik, das uns eigens gehört, — und dies ist die Instrumentalmusik; — eine deutsche Oper aber haben wir nicht"[78], und während die deutschen Opernkomponisten als "gelehrt" und des Gesangs unkundig abqualifiziert wurden, rühmte Wagner die "tiefsinnigen Fugen" Bachs und die "freieste Symphonie" Beethovens[79]. In Paris verfaßte Wagner dann 1840 den Aufsatz "Über deutsches Musikwesen", in dem sich bemerkenswert Sätze zur Instrumentalmusik finden. Etwa diese: "Halten wir überhaupt fest, daß jede Kunst einen Genre besitzt, in welchem sie am selbständigsten und eigentümlichsten repräsentiert wird, so ist dies bei der Musik jedenfalls im Genre der Instrumentalmusik der Fall. In jedem andern Genre tritt ein zweites Element hinzu, das schon an sich selbst die Einheit und Selbständigkeit des einen aufhebt und sich, wie wir erfahren haben, doch nie zu der Höhe des andern emporschwingt. Durch welchen Wust von Anhängseln anderer Kunstproduktionen muß man sich nicht erst durcharbeiten, um bei Anhörung einer Oper zur eigentlichen

---

[78] SS XII, 1.
[79] SS XII, 2f.

Tendenz der Musik selbst zu gelangen! Wie fühlt der Komponist sich genötigt, hier und da seine Kunst fast völlig unterzuordnen, und dies sogar oft in Dingen, die der Würde aller Kunst zuwider sind. In den glücklichen Fällen, wo der Wert der Hilfsleistungen der assoziierten Künste sich zu gleicher Höhe mit dem Wert der Musik selbst erhebt, entsteht zwar wirklich ein neuer Genre, dessen klassischer Wert und tiefe Bedeutung hinlänglich anerkannt ist, das aber immer und jedenfalls dem Genre der höheren Instrumentalmusik untergeordnet bleiben muß [. . .] Hier, im Gebiete der Instrumentalmusik, ist es, wo der Künstler, frei von jedem fremden und beengenden Einflusse, imstande ist, am unmittelbarsten an das Ideal der Kunst zu reichen; hier, wo er die seiner Kunst eigentümlichst angehörenden Mittel in Anwendung zu bringen hat, ist er sogar gebunden, im Gebiete seiner Kunst selbst zu verbleiben".[80] Wenig später heißt es: "Und ist es denn möglich, daß mit der üppigsten Zutat aller andern Künste ein prachtvolleres und erhabeneres Gebäude aufgerichtet werden könne, als ein einfaches Orchester imstande ist, in der Aufführung einer Beethovenschen Symphonie zu erbauen? Gewiß nicht!"[81] Man kann diesen für die "Revue et Gazette musicale" geschriebenen Artikel nur als Hymne auf die Instrumentalmusik lesen, und selbst, wenn man in Rechnung stellt, daß Wagner als Deutscher in Paris darauf aus war, ein Loblied auf Deutschland und die deutsche Musik zu singen, bleiben die zitierten Sätze doch erstaunlich und überraschend für einen Komponisten, der zur gleichen Zeit am dritten Akt der "Großen tragischen Oper" "Rienzi, der Letzte der Tribunen" komponierte und soeben die "Romantische Oper" "Der

[80] SS I, 155f.
[81] SS I, 156.

37

fliegende Holländer" entworfen hatte. Daß Beschäftigung mit Instrumentalmusik in dieser Zeit jedoch nicht
fehlte, zeigt der anspruchsvolle Plan der Faust-Symphonie, zeigt auch die Tatsache, daß sich auf einem Skizzenblatt mit Entwürfen zum "Fliegenden Holländer"
kurze Auszüge aus dem Schlußsatz von Mozarts C-dur-
Symphonie KV 551 befinden, Dokumente zwar, die primär Wagners Beschäftigung mit dem Kontrapunkt bezeugen — es handelt sich um die Kombination der Themen und Motive, wie sie vor allem die Coda des Finales
der Mozartschen Symphonie prägt —, zugleich aber belegen, daß es Wagner um das Erlernen instrumental-sym-
phonischer Anwendung des Kontrapunkts ging. Obwohl
er Opern schrieb, suchte er sich seine Vorbilder in der
Instrumentalmusik[82].

Das Wort von der "Höheren Instrumentalmusik" kehrte wieder in der bereits erwähnten Denkschrift "Die Königliche Kapelle betreffend" von 1846, und in der mittle-
ren der Schweizer Exilschriften, "Das Kunstwerk der Zukunft", nannte Wagner die "moderne Symphonie" in der
Ausprägung durch Haydn, Mozart und Beethoven das
"reichste Kunstwerk" der Musik[83]. Der Ausdruck der
Wertschätzung der Instrumentalmusik war abermals mit
Kritik und ästhetischer Verurteilung der Oper verbunden. Freilich geben "Das Kunstwerk der Zukunft" und
"Oper und Drama" vor allem Wagners Gedanken zur
Legitimation des musikalischen Dramas wieder, ein Verfahren, das notwendig auch eine Kritik an der Instrumentalmusik enthalten mußte. Im Vergleich Beethovens
mit Columbus und seiner Entdeckung Amerikas aber [84]

[82] vgl. ML 73.
[83] SS III, 90.
[84] Oper und Drama, SS III, 278.

und in einem Satz wie, Beethoven habe "den künstlerischen Schlüssel" zum Kunstwerk der Zukunft, nämlich
dem musikalischen Drama, "geschmiedet"[85], drückte
sich Wagners Verehrung Beethovens und sein Enthusiasmus für die Instrumentalmusik unverhüllt aus. Führte
die Kritik an der Oper zur strikten Ablehnung dieser
Gattung, so die Kritik an der Instrumentalmusik zu einer
neuen Spezies, die sich als unmittelbare Fortsetzung der
Instrumentalmusik verstand. Aufschlußreich ist in diesem Zusammenhang, daß Wagner mit seinem Dresdner
Freund Theodor Uhlig bei einer Bergtour 1851, also wenige Monate nach Beendigung der Arbeit an "Oper und
Drama", "über wichtige Probleme der Themen-Bildung
Beethovens" diskutierte[86], anknüpfend an Uhligs leider
nicht überlieferte "streng theoretische Arbeit über die
musikalische Themen- und Satz-Bildung"[87], von der
Wagner in "Mein Leben" geschrieben hat: "Diese zeugte
von einer ebenso originellen Auffassung als gründlichen
Erforschung des Verfahrens Mozarts und Beethovens,
namentlich in ihrem höchst charakteristischen Unterschiede, und schien mir, bei ihrer erschöpfend sicheren
Ausführlichkeit, vollkommen geeignet, die Grundlage
einer neuen Theorie der höheren musikalischen Satz-
kunst zu bilden, durch welche das geheimnisvollste Verfahren Beethovens erklärt und zu einem faßlichen Sy-
steme der weiteren Anwendung ausgearbeitet werden
durfte"[88]. Nach Uhligs Tode versuchte Wagner, Uhligs
Schrift zu publizieren, hatte jedoch keinen Erfolg, so
daß das Werk unveröffentlicht blieb und sein Manuskript

[85] Das Kunstwerk der Zukunft, SS III, 96.
[86] ML 549.
[87] ML 543.
[88] ebda.

39

schließlich verloren ging. Ist dieser Verlust sehr zu bedauern, so geben doch Uhligs übrige Aufsätze[89] genügend Hinweise auf sein Verständnis der Instrumentalmusik und seine Parteinahme für Wagner und dessen Ideen. An der Diskussion mit Uhlig zeigt sich Wagners großes Interesse an der Instrumentalmusik abermals und zwar zu einem Zeitpunkt, als — zumindest theoretisch und auf den ersten Blick — das Kunstwerk der Zukunft, das musikalische Drama, eine Form des Musiktheaters also, Gedanken und Schaffen Wagners bestimmten. Diesem Interesse, wenn auch vermutlich nicht ihm allein, verdankt auch der Offene Brief "Über Franz Liszts symphonische Dichtungen"[90] seine Entstehung.

1860, in der Schrift "Zukunftsmusik", schrieb Wagner über Beethoven: "er bildete das symphonische Kunstwerk zu einer so fesselnden Breite der Form aus, und erfüllte diese Form mit einem so unerhört mannigfaltigen und hinreißenden melodischen Inhalt, daß wir heute vor der Beethovenschen Symphonie wie vor dem Marksteine einer ganz neuen Periode der Kunstgeschichte überhaupt stehen"[91]. In seiner Begeisterung sprach Wagner von der "vollendeten Kunstform der Beethovenschen Symphonie"[92]. Wie sehr Wagner Musik mit Instrumentalmusik identifizierte, macht eine Tagebucheintragung Cosima Wagners vom 8.2.1870 deutlich, in der es heißt: "Auf Mozart kommt er zurück und sagt, er wolle die ganze Philosophie der Musik aus einem Satz einer Mozartschen Symphonie konstruieren". Zwar hat Wagner dem nicht buchstäblich entsprochen, doch verstand sich die Beetho-

[89] Theodor Uhlig, Musikalische Schriften.
[90] SS V, 182—198.
[91] SS VII, 109f.
[92] SS VII, 125f.

ven-Schrift von 1870 als Versuch einer Philosophie der Musik[93], entwickelt am Beispiel eines Instrumentalkomponisten, dem Wagners ganz besondere Verehrung galt. 1875 beklagte Wagner, "wie wenig vollendete Meisterwerke es gibt; beinahe nur die Beethovensche Symphonie"[94].

***

Wagners Leidenschaft für die Instrumentalmusik hatte noch andere Auswirkungen, die allerdings — soweit überliefert ist — keine konkreten Folgen zeitigten. Mehrfach hat Wagner nämlich die Absicht geäußert, klassische Instrumentalkompositionen zu orchestrieren oder neu zu instrumentieren. In Cosima Wagners Tagebüchern ist unter dem 1.1.1881 von einer Es-dur-Symphonie die Rede — gemeint ist sehr wahrscheinlich Mozarts Symphonie KV 543 —, "die er [Wagner] gern neu instrumentieren würde". Etwas Ähnliches hatte Wagner zuvor schon mit Beethovens neunter Symphonie unternommen, wenn es sich dabei auch im wesentlichen nur um Retuschen und Anpassungen an den Stand der Orchestertechnik in der zweiten Hälfte des 19. Jahrhunderts handelte, unternommen anläßlich der Aufführung der neunten Symphonie in Bayreuth am 22.5.1872. Ziel der Einrichtung war nach Wagners eigener Darstellung die "Deutlichkeit des Vortrages"[95]. Sie zu gewährleisten und damit dem besonders verehrten Werk zur gebührenden Anerkennung zu verhelfen, legte Wagner seine Bearbeitungs-Maximen und ihre technischen Korrelate in einem Artikel "Zum Vortrag der neunten Symphonie Beethovens"[96] nieder. Um Deutlichkeit ging es auch bei der Absicht, ein anderes Werk Beethovens zu orchestrieren. Am 19.3.

[93] SS IX, 61.
[94] CT 3.10.1875.

[95] SS IX, 231.
[96] SS IX, 231–257.

1878 notierte Cosima in ihrem Tagebuch folgenden Aus-spruch Wagners: "Ich hätte große Lust z.B. den ersten Teil des Es-dur-Quartettes von Beethoven für ein Orche-ster zu setzen. Du würdest sehen, wie die Themen da heraus kämen, wie einiges von den Hörnern gegeben deutlicher würde, während selbst bei der besten Ausfüh-rung so Vieles verloren ist, alles nicht gesondert ist". Die Vorstellung, daß die originale Besetzung Beethovenscher Kammermusikwerke, vornehmlich aus dessen später Zeit, nicht die beste und der Vielfalt der Komposition angemessene Wiedergabe garantiere, leitete Wagner auch bei der Idee, die Hammerklaviersonate zu instrumentie-ren. In Cosimas Tagebüchern ist unter dem 4.11.1872 zu lesen: "Dann erzählt er mir, er habe die B-dur-Sonate von Beethoven, ersten Teil, durchgenommen, und er sei ganz überwältigt von der Schönheit und der Zartheit und dem Reichtum der Details, die so vorübergehen, daß es niemand merkt, was da alles geschaffen sei. 'Mit Stolz sa-ge ich mir, hier fühle ich mich verwandt.' 'Man spricht von Zukunftsmusik, welche Zukunft wäre eines solchen Werkes denn würdig?' Er spricht davon, diese Sonate zu instrumentieren, um sie zugänglicher zu machen, 'so kann nur der vollendetste Virtuose sie spielen, von mir instrumentiert aufgeführt könnte sich eine Art von Tra-dition bilden'. Wir lesen die Sonate gemeinschaftlich durch mit unsäglichem Entzücken, wie verborgene Blu-men auf der Wiese ist da der Reichtum der Einzelhei-ten". Die Faszination durch Beethovens Instrumental-musik ist hier ebenso deutlich spürbar wie das Engage-ment für die Verbreitung und allgemeine Pflege dieser Musik. Deutlich ist aber auch, wie sehr Wagner den Zu-sammenhang seiner eigenen Kunst, einer Kunst des Dra-mas und des Musiktheaters, mit der großen Instrumen-talmusik Beethovens herausstellte.

Wagners Instrumentalkompositionen:
Werke und Pläne

Wagners Begeisterung, ja Leidenschaft für die Instrumentalmusik führte zu der natürlichen Konsequenz, daß er selbst Instrumentalmusik komponierte oder sich mit Plänen zu Instrumentalwerken befaßte. Wagner hatte gleichsam symphonischen Ehrgeiz. Otto Daubes Buchtitel "Ich schreibe keine Symphonien mehr" — eine Darstellung der musikalischen Ausbildung und der frühen Kompositionen Wagners[1] — führt auf eine falsche Fährte. Selbst wenn Wagner den Satz tatsächlich gesagt hätte — er läßt sich nicht als Ausspruch Wagners nachweisen —, sprechen die Fakten gegen diesen Titel. Zeit seines Lebens hat Wagner Symphonien schreiben wollen und immer wieder Ansätze dazu gemacht, über die dieses Kapitel ausführlich berichten wird. An die Stelle von Daubes Pseudo-Zitat — eine Variation des Wagner-Wortes "Ich schreibe keine Opern mehr"[2] — ist daher vielmehr Wagners Ausspruch aus dem Jahre 1878 zu setzen: "Ich möchte Symphonien schreiben"[3], ein Ausspruch, der authentisch ist und gewiß nicht nur für den Tag galt, an dem er gesprochen wurde.

Es ist offenkundig, daß Wagner sein kompositorisches Schaffen als Instrumentalkomponist begann. Das heißt

---

[1] vgl. Literaturverzeichnis.
[2] Eine Mitteilung an meine Freunde, SS IV, 343.
[3] CT 1.12.1878.

nicht, daß Vokalmusik gefehlt hätte, aber sie stand deutlich im Hintergrund, war Nebensache. Bühnenmusik aber im Sinne von Oper oder gar Musikdrama lag bis zum Herbst 1832, als Wagner mit Dichtung und Komposition seiner ersten Oper "Die Hochzeit" begann, außerhalb des Bereichs, in dem sich sein kompositorisches Schaffen abspielte. Wagner schrieb nach seinen eigenen Angaben 1829 eine nicht näher bezeichnete "Arie", 1829 oder 1830 eine Szene für drei Frauenstimmen mit anschließender Tenorarie für ein Schäferspiel (nach dem Vorbild von Goethes "Laune des Verliebten"), 1830 eine Arie für Sopran und im Winter 1831/32 eine "Szene und Arie", abermals für Sopran, die am 22. April 1832 im Leipziger Theater aufgeführt worden ist. Alle diese Kompositionen sind verschollen, so daß wir nichts über Art und Umfang wissen. Zu Goethes "Faust" komponierte Wagner zu Anfang des Jahres 1831 sieben Nummern, gedacht vermutlich als Schauspielmusik. Während des Unterrichts bei Theodor Weinlig entstand dann im Herbst 1831 oder im Frühjahr 1832 die Vokalfuge "Dein ist das Reich", und am 12. Oktober desselben Jahres komponierte Wagner auf der Rückreise von Wien in Pravonin bei Prag das Lied "Glockentöne" auf einen Text seines Freundes Theodor Apel. Das Lied ist nicht erhalten. Die übrigen genannten Kompositionen sind in der Besetzung klein und von geringem Umfang. Sie haben nicht den Charakter von Hauptwerken. Diesen Vokalkompositonen steht eine große Anzahl von Instrumentalwerken gegenüber, die zeigt, daß Wagners Interesse bis 1832 Sonaten, Ouvertüren und Symphonien galt. Hier eine Liste der bis zum Ende des Jahres 1832 geschriebenen Stücke:

Sonate für Klavier d-moll, 1829 (verschollen)

Streichquartett D-dur, 1829 (verschollen)

Sonate für Klavier f-moll, 1829 (verschollen)

Ouvertüre B-dur (bekannt unter dem Titel "mit dem Paukenschlag"), 1830 (verschollen)

Ouvertüre zu Schillers "Braut von Messina", 1830 (verschollen)

Orchesterwerk e-moll, vermutlich 1830 (nur als Fragment überliefert)

Ouvertüre C-dur (6/8), 1830 (verschollen)

Sonate B-dur für Klavier zu vier Händen, 1831 (verschollen)

Instrumentation dieser Sonate, 1831 (verschollen)

Ouvertüre Es-dur, 1831 (verschollen)[3a]

Politische Ouvertüre, 1831 (verschollen)

Konzert-Ouvertüre Nr. 1 d-moll (in 2 Fassungen), beendet am 26. Sept.1831 bzw. 4.Nov.1831

Doppelfuge C-dur, 1831

Sonate B-dur für Klavier op. 1, 1831, 1832 gedruckt

Fantasie für Klavier fis-moll, 1831

Polonaise für Klavier D-dur, 1831/32

Polonaise für Klavier zu vier Händen op. 2, 1832 gedruckt

Sonate für Klavier A-dur, vermutlich 1832

Ouvertüre zu Raupachs Tauerspiel "König Enzio", beendet am 3. Febr.1832

[3a] Ein Thema dieser Ouvertüre steht möglicherweise auf einem Notenzettel, der auch Themen der Konzert-Ouvertüren Nr. 1 und 2 enthält. Faksimile in: W. Lange, Richard Wagner und seine Vaterstadt Leipzig, Leipzig 1921, S. 79.

2 Entreactes tragiques D-dur und c-moll, 1832?
Konzert-Ouvertüre Nr. 2 C-dur, beendet am 17. März
  1832
Symphonie C-dur, Frühjahr 1832.

Zu dieser Aufstellung ist zu bemerken, daß eventuell
die Ouvertüre zur "Braut von Messina" mit dem fragmentarisch überlieferten Orchesterwerk in e-moll, die
Politische Ouvertüre mit dem Werk in Es-dur identisch
ist.

Nach diesem Oeuvrekatalog erscheint es nicht glaub-
würdig, daß Wagner — wie er später behauptete —
das Handwerk des Komponierens nur erlernte, um zu
seinem Schüler-Drama "Leubald und Adelaide" Musik
schreiben zu können. Auch verträgt sich die angebliche
Theaterleidenschaft Wagners kaum mit dieser Alleinherr-
schaft der Instrumentalmusik. Weder komponierte Wagner auch nur einen einzigen Takt für seinen "Leubald",
noch ist ein einziger Plan oder Gedanke zu einem größeren Bühnenwerk aus dieser Zeit bekannt. Es ist zwar
richtig, daß Wagner nach seiner Symphonie mehr als
zwei Jahre lang keine Instrumentalmusik geschrieben
hat — zumindest ist nichts darüber bekannt oder überliefert —, diese Zeit vielmehr ganz der Arbeit an Opern
gewidmet hat (1832: "Die Hochzeit", Text, Komposition der ersten Nummer; 1833/34: "Die Feen"; 1834:
"Das Liebeverbot", Text). Es wäre jedoch falsch, daraus
den Schluß zu ziehen, die Instrumentalkompositionen
der Jahre zuvor seien nur Übungsstücke gewesen, Vor-
stufen — als habe das Ziel von Anfang an "Oper" gehei-
ßen. Wagner wollte vielmehr — und das war eine ganz
folgerichtige und normale Entwicklung — nach seinen
Sonaten, Ouvertüren und der Symphonie — Werken, die
allgemeine Anerkennung gefunden hatten und ihm das

Gefühl gaben, als Instrumentalkomponist die Bewährungsprobe bestanden zu haben — sich auch in der Gattung der Oper versuchen. Dabei dürfte die Tatsache von ausschlaggebender Bedeutung gewesen sein, daß Wagner über seine Schwester Rosalie, die Schauspielerin, über gute Beziehungen zum Leipziger Theater verfügte — oder doch zu verfügen glaubte —, und der Meinung war, eine Oper dort leicht zur Annahme und Aufführung bringen zu können. Darin freilich hat er sich getäuscht. Die "Feen" kamen nicht in Leipzig auf die Bühne, erlebten ihre erste Aufführung stattdessen erst 1888 in München. Daß Wagner auf eine Aufführung in Leipzig aus war und sich der Protektion seiner Schwester versichern wollte, geht deutlich daraus hervor, daß er den bereits fertigen Text zur "Hochzeit", weil er nicht die Billigung Rosalies fand, kurzerhand zerriß und die Komposition, die er gerade begonnen hatte, aufgab. Die "Feen", deren Sujet Rosalie allem Anschein nach zustimmte, wurden dann ausgeführt und in Leipzig eingereicht, kamen jedoch nicht zur Aufführung. Ziemlich zur gleichen Zeit aber mit den ersten Arbeiten an der dritten Oper "Das Liebesverbot" begann Wagner mit der Komposition seiner zweiten Symphonie.

Von den frühen Werken, die verschollen sind, wissen wir wenig; Wagner hat kaum etwas mitgeteilt, das zu ihrer Charakterisierung dienen könnte. Ausgenommen ist davon allerdings die Ouvertüre in B-dur, die Heinrich Dorn zu Weihnachten 1830 im Leipziger Theater zur Aufführung brachte. Wagner, aber auch Dorn, der in seinen Erinnerungen[4] darüber berichtete, haben das Exzentrische des Werks hervorgehoben, das Unkon-

---

[4] Heinrich Dorn, Aus meinem Leben, 5. Folge, Berlin 1877, S. 157.

ventionelle[5]. Hauptcharakteristikum war folgendes Detail: "Das Hauptthema des Allegros war viertaktiger Natur; nach jedem vierten Takt war jedoch ein gänzlich zur Melodie ungehöriger fünfter Takt eingeschaltet, welcher sich durch einen besonderen Paukenschlag auf das zweite Taktviertel auszeichnete"[6]. Im übrigen hatte Wagner nach seinen eigenen Worten "alle banalen Schlußformen verschmäht"[7]. Man darf daraus wohl schließen, daß auch formal nicht der Konvention entsprochen wurde. Das nur als Fragment überlieferte Orchesterwerk in e-moll jedenfalls legt diesen Gedanken nahe, eine Komposition, die in vieler Beziehung charakteristisch ist für Wagners kompositorische Auseinandersetzung mit der Instrumentalmusik, so dürftig es in der musikalischen Substanz ist und dilettantisch-unbeholfen in der Technik. Wichtig erscheint vor allem Wagners Hinweis, daß Beethovens neunte Symphonie das Vorbild für die Ouvertüre in B-dur war. Auch das genannte Orchesterwerk in e-moll macht deutliche thematische Anleihen bei diesem Werk Beethovens. Die von Wagner mitgeteilte Bemerkung des Uraufführungsdirigenten Heinrich Dorn, die Ouvertüre in B-dur hätte sich als "unbekannt gebliebenes Werk Beethovens"[8] ankündigen lassen, war zwar gewiß nicht ganz ernst gemeint, veranschaulicht aber, wie stark die Prägung durch das Vorbild gewesen sein muß. Das bestätigen im übrigen die erhaltenen Kompositionen, die freilich sämtlich jünger sind und bereits — das Fragment e-moll ausgenommen — ein fortgeschrittenes Stadium repräsentieren, wie die Konzert-Ouvertüre in d-moll in ihrer ersten Fassung,

[5] ML 66ff.
[6] ML 67.
[7] ML 68.
[8] ML 66.

oder deutlich den glättenden und insbesondere in for-
maler Beziehung von klassischen Mustern bestimmten Einfluß Theodor Weinligs merken lassen. Mit der
Konzert-Ouvertüre in d-moll wird die Sonatensatzform zum bestimmenden Formmerkmal fast aller
größeren Kompositionen, und die für das Orchesterwerk in e-moll kennzeichnenden häufigen Tempo-
und Taktwechsel, die ständig Mehrsätzigkeit suggerieren, verschwinden. Das ist am deutlichsten an der
Umarbeitung der d-moll-Ouvertüre zu sehen. Wagner
versuchte nun, nach Mustern und Modellen der Instrumentalmusik der Wiener Klassiker zu komponieren. Fast alle Werke sind Studienwerke oder doch
zumindest während der Zeit des Studiums geschrieben,
und sie müssen als solche eingeschätzt werden. Nachahmung war nicht nur Begeisterung für ein Idol oder Mangel an Eigenständigkeit, sondern auch bewußt gestellte
Aufgabe. Nach Wagners eigener Aussage hatte die d-moll
-Ouvertüre Beethovens "Coriolan" zum Vorbild[9], was besonders in der Durchführung (Takt 135ff) deutlich zu
hören ist. Aber auch andere Werke Beethovens standen
Pate, so die Sonata quasi una fantasia cis-moll op. 27/2,
deren letzter Satz (Takt 43ff) in der Überleitung vom
Haupt- zum Seitensatz (Takt 27ff) geradezu zitiert wird.
Neben den Anklängen an die Musik Beethovens steht die
Übernahme und Nachahmung Beethovenscher Technik
und Verfahrensweisen. So kopieren die Durchführungs-
takte 141ff mit ihrer ostinatohaften Repetition eines
Motivs aus dem Hauptthema zu liegenden Bläserklängen
exakt eine Passage der dritten Leonoren-Ouvertüre
(Takt 184ff). Die synkopisch einsetzenden, sforzato
zu spielenden harmonischen Rückungen im Seitensatz

[9]   ML 73.

der Ouvertüre zu "König Enzio" (Takt 116 und 120) haben ihr unmittelbares Vorbild bei Beethoven, wie die gesamte Ouvertüre eine, stellenweise nicht ungeschickte Beethoven-Imitation darstellt, gut geeignet, Wagners eingehendes Studium der Werke Beethovens zu dokumentieren. Charakteristisch der Sechzehntel-Auftakt mit repetierten Noten gleich zu Beginn (Takt 1) und die Synkopierung des Hauptthemas im Allegro, das indessen auch ein wenig den Ton Carl Maria von Webers streift.

In der Konzertouvertüre Nr. 2 in C-dur folgte Wagner, wie auch im Finale der Symphonie C-dur, mehr Mozarts C-dur-Symphonie KV 551. Dabei war "Mozarts leichte und fließende Behandlung der schwierigsten technischen Probleme der Musik"[10] das Muster, das es zu imitieren galt. Im übrigen gehen die stilistischen Einflüsse in den Kompositionen des jungen Wagner durcheinander. Man findet Mozartsche Kantabilität, wie im Seitensatz des ersten Satzes der Sonate in B-dur, und die Trivialität reißerischer Opernmusik, wie sie das zweite Thema im Schlußsatz derselben Sonate charakterisiert. Im zweiten Satz der Sonate dagegen kopiert Wagner langsame Sätze früher Beethoven-Sonaten. Die fis-moll-Fantasie gemahnt an Bachs Chromatische Fantasie, Mozarts d-moll-Fantasie KV 397 und an Schuberts Klaviersatz, wie ihn etwa die Wandererfantasie zeigt. Die Polonäsen sind demgegenüber mehr an Carl Maria von Weber orientiert. Dominant ist indessen stets der Einfluß Beethovens. In seinem Buch "Wagner und Beethoven" hat Klaus Kropfinger dieses Thema ausführlich behandelt und gezeigt, daß der Einfluß unübersehbar ist bis hin zur Faust-Ouvertüre und zur Wesendonck-Sonate[11]. Zahlreiche offene

[10] ebda.
[11] Regensburg 1975, S. 194–217.

und verdeckte Reminiszenzen und Anklänge belegen das. Oft folgt die Thematik Beethovenschen Mustern, oder Tonfall und Gestus Beethovenscher Themen und Motive werden beschworen. Die Dreiklangsmotive und -melodien — die mit einem aufsteigenden Dreiklang beginnenden Seitensatzthemen, wie eines noch den Seitensatz der Faust-Ouvertüre prägt, sind geradezu charakteristisch für die Instrumentalmusik des jungen Wagner — sind von Beethovens Sonaten und Symphonien abgeleitet. Freilich geschah das so mechanisch, daß Wagner später vom Hauptthema des ersten Satzes der Symphonie in C-dur schrieb, mit ihm lasse "sich gut kontrapunktieren, aber wenig sagen"[12]. Daß die Nachahmung Beethovens auch von den Zeitgenossen als solche erkannt wurde, veranschaulicht die Rezension, die Ernst Ortlepp in der Zeitschrift "Der Komet" nach der Aufführung der C-dur-Symphonie im Leipziger Gewandhaus veröffentlichte. Sie ist bemerkenswert, weil sie das Mißverhältnis zwischen Form und Inhalt, technischer Fertigkeit und künstlerischer Aussage in Wagners Komposition anschaulich aufdeckte. Ortlepp schrieb: "Ein erster Versuch kann nicht leicht ein Meisterwerk sein, um so weniger, wenn er fast als reine Nachahmung dasteht; indessen kann sich dessen ungeachtet darin ein bedeutendes Talent aussprechen. Das gilt auch von Wagners Symphonie. Wagner hat Beethoven, ja sogar eine bestimmte Symphonie desselben, die A-dur-Symphonie, vor Augen gehabt, und das architektonische Gebäude der seinigen danach eingerichtet. Weit entfernt, an dem Anfänger dies zu tadeln, loben wir, daß er sich ein so hohes Vorbild erwählte, um so mehr, je glücklicher er es in vieler Hinsicht

---

[12] SS X, 314.

zu erreichen verstand. Doch war er bis jetzt nur mehr in Betreff der äußern Form glücklich; diese hat er Beethoven völlig abgelauscht; doch an Gehalt steht sein Werk noch zurück. Der Verstand herrscht in seiner Symphonie vor; die Art der Instrumentierung und die Kombination und Verwebung der Melismen, kurz die ganze Äußerlichkeit Beethovens findet sich; auch ist Wagners Fantasie reich an ungewöhnlichen, ja selbst humoristischen Einfällen; doch es fehlt noch dem Ganzen der zarte, ätherische Anhauch von Schwärmerei und lebendiger zu dem Herzen sprechender Empfindung, der den eigentlichen Zauber Beethovens ausmacht. Als besonders gelungen erschien uns das (wenn auch ziemlich genau nach dem der A-dur-Symphonie gearbeitete) Andante; nicht billigen können wir die Trompetenfuge des letzten Satzes".[13]

So sehr zu bedenken ist, daß Wagners frühe Instrumentalkompositionen Studienwerke sind, so unverkennbar ist doch der hohe künstlerische Anspruch, den sie fast ausnahmslos stellen. Das zeigt sich vor allem am Umfang der Kompositionen. Bezeichnenderweise mußten die Konzertouvertüre Nr. 2 in C-dur und die Symphonie C-dur schon bei den ersten Aufführungen gekürzt werden, und die Sonate in A-dur hat Wagner im Hinblick auf eine Veröffentlichung, die jedoch nicht zustandekam, um einen ganzen Satzteil, nämlich die Fuge im Finale, gekürzt.[14] Der erste Satz der Sonate in B-dur wird mit insgesamt 309 Takten Länge nur von den größten Sonaten Beethovens oder Schuberts erreicht oder übertroffen. Ähnliches gilt für die Fantasie

---

[13] Der Komet, 8. März 1833, Spalte 76.
[14] Wagner strich im Manuskript die Fuge mit der gleichen roten Tinte aus, mit der er auf dem Titelblatt die vorgesehene Opuszahl 4 notierte.

in fis-moll, die Konzertouvertüren und die Symphonie. Deren langsame Einleitung bleibt an Ausdehnung nur hinter Beethovens A-dur-Symphonie zurück. Fuge, Fugato, Kanon und Imitation finden regelmäßige Verwendung, besonders in den Schlußsätzen, und den Mangel an pianistischer Virtuosität ersetzte Wagner in den Klavierwerken meist durch orchestrale Vollgriffigkeit und Oktavierungen. Nicht zuletzt wird der künstlerische Anspruch auch durch die überdeutliche Anlehnung an Beethoven und andere Heroen der Musikgeschichte erkennbar. Ernst Ortlepp wies in der zitierten Rezension der Symphonie darauf hin. Wagner imitierte bisweilen nicht nur, sondern er übersteigerte. So entstanden gleichsam hybride Formen und Arten. Ein Beispiel dafür ist der Beginn der langsamen Einleitung der Symphonie mit ihrer Massierung von Orchesterschlägen. Wagners Hinweis in "Mein Leben", daß u.a. die Eroica das Vorbild der Symphonie war[15], bestätigt den Eindruck, den man beim Hören gewinnt: anstelle von zwei Orchesterschlägen bei Beethoven bei Wagner deren zehn, die in ihrer Wirkung sich fast schon der Parodie nähern. Wagner scheint sich — zumindest später — dieser Übersteigerungstendenz bewußt gewesen zu sein. Angedeutet ist es jedenfalls in dem "Bericht über die Wiederaufführung eines Jugendwerkes", in dem Wagner 1882 über seine Symphonie und ihre Beziehung zu Beethoven schrieb, er habe den Vorteil vor Beethoven gehabt, dessen 3., 5. und 7. Symphonie bereits zu kennen, als er sich mit seinem Werk "etwa auf den Standpunkt von dessen zweiter Symphonie" gestellt habe[16].

---

[15] ML 73f. — Vgl. dazu besonders die Takte 149—153 im 1. Satz der Symphonie.
[16] SS X, 314.

Wagner bemühte sich wiederholt um Aufführungen seiner Kompositionen und um ihre Publikation. Auch das ein Zeichen, daß er sie nicht nur als Studienwerke ansah und gewertet wissen wollte. Mit Aufführungen hatte er Erfolg, mit Veröffentlichungen nicht. Außer der Sonate B-dur und der vierhändigen Polonaise, die beide durch die Fürsprache Weinligs bei Breitkopf & Härtel herauskamen, hat Wagner von seinen frühen Instrumentalkompositionen nichts publizieren können, obwohl er die Fantasie, die Sonate in A-dur, die Ouvertüre zu Raupachs "König Enzio" sowie die beiden Konzert-Ouvertüren zum Verlag angeboten bzw. vorbereitet hat. Die Sonate wurde gekürzt und mit der Opuszahl 4 versehen; die Partituren der drei Ouvertüren faßte Wagner in einen Band zusammen mit dem Titel "3 Ouvertüren von Richard Wagner"[17].

Die Orchesterwerke brachte Wagner sämtlich zur Aufführung. Die Ouvertüre zu Raupachs "König Enzio" wurde zusammen mit dem Schauspiel im Leipziger Theater gespielt, die Konzertouvertüren und die Symphonie erklangen u.a. im Gewandhaus. In Würzburg, wohin Wagner 1833 übersiedelte, dirigierte er eine der Ouvertüren und die Symphonie, und eventuell hat er die 2. Konzertouvertüre noch in Magdeburg (1836), vielleicht sogar auch noch in Paris zur Aufführung gebracht. Daß er die Partitur der Symphonie 1836 an Mendelssohn geschickt hat, muß man wohl als Versuch auffassen, sich die Anerkennung des neuen Gewandhauskapellmeisters und angesehenen Komponisten zu erwerben. Vielleicht hoffte er sogar, Mendelssohn werde die Symphonie noch ein-

---

[17] dazu und zu den folgenden Informationen vgl. Richard Wagner, Sämtliche Werke, Band 18, I, hg. v. E. Voss, Mainz 1973, S. XI–XV.

mal im Gewandhaus aufführen. Nachdem sie die Anerkennung Friedrich Rochlitz' und Dionys Webers[18]
errungen hatte, versteht sich, daß Wagner ihr zutraute,
auch Mendelssohn zu überzeugen. Die Symphonie
sollte für einen Komponisten werben, der sich mit seinen neuesten Kompositionen — also mit dem "Liebesverbot" und mit der Columbus-Ouvertüre — von den
klassischen Mustern entfernt hatte oder doch entfernt
zu haben glaubte, und der in seiner an Mozart und
Beethoven orientierten Symphonie einen guten und
vertrauenerweckenden Fürsprecher zu haben meinte[19].

**

Bevor Wagner an die Komposition des "Liebesverbots" ging, versuchte er, eine zweite Symphonie zu komponieren[19a]. Unmittelbar nachdem er seine neue Stelle
als Musikdirektor der Bethmannschen Theatergruppe angetreten und in Lauchstädt mit Mozarts "Don Giovanni"
debütiert hatte, begann er am 4. August 1834 den —
mittlerweile verschollenen — Entwurf zu einer E-dur-
Symphonie, der freilich über den ersten Satz und 29
Takte des zweiten Satzes nicht hinauskam, von der Instrumentation ganz zu schweigen. Das Zusammentreffen
der Ereignisse ist vermutlich kein Zufall. Von der vergleichsweise sicheren Position des Musikdirektors aus
sollte die Karriere als Instrumentalkomponist und Sym-

---

[18] ML 74 und 81f.
[19] vgl. Wagners Brief an Mendelssohn vom 11.4.1836, SB I,
259f.
[19a] Das angeblich 1833 in Würzburg komponierte "Adagio für
Klarinette und Streichquintett" hat sich als Fehlzuweisung
herausgestellt. Vgl. Rau.

phoniker ihren Lauf nehmen. Dafür spricht, daß Wagner die neue Symphonie dem Gewandhauskapellmeister Pohlenz schon ankündigte, noch bevor überhaupt an ihre Vollendung zu denken war[20]. Im übrigen würde man doch wohl erwartet haben, daß Wagner seine neue Stellung als Opernkapellmeister und Musikdirektor zunächst einmal zur Aufführung seiner Oper "Die Feen" benutzt hätte. Er tat es jedoch nicht, auch nicht, nachdem klar war, daß das Werk in Leipzig nicht auf die Bühne kommen würde. Eigenartig auch, daß Wagner, der doch erst im Juni des Jahres das Libretto zu seiner neuen Oper "Das Liebesverbot" entworfen hatte, sich nicht sogleich und ausschließlich an die Dichtung und Komposition dieses Werkes machte, obwohl doch nun ein Ensemble zur Verfügung stand und damit die Aussicht auf Aufführung. Der Eindruck drängt sich auf, daß die Stellung als Opernkapellmeister lediglich zur materiellen Lebenssicherung, nicht aber aus Enthusiasmus für die Oper angetreten wurde. Das in dieser Zeit einsetzende, zeitweilige Interesse an der Oper hatte denn auch andere Wurzeln, über die sich Wagner in seiner Autobiographie ausgesprochen hat. Es heißt dort über den Sommer 1834 und die Komposition der Symphonie in E-dur: "Zwar entwarf ich auch um diese Zeit eine musikalische Komposition, nämlich eine Symphonie in E-dur, deren erster Satz (3/4-Takt) als Komposition auch vollendet wurde; für Stil und Anlage war diese Arbeit durch die siebente und achte Symphonie Beethovens veranlaßt, und, soviel ich mich erinnere, glaube ich mich der Tüchtigkeit dieser Arbeit nicht geschämt haben zu dürfen, wenn ich sie vollendet oder selbst nur das Fertige mir erhalten hätte.

[20] vgl. Wagners Brief an Theodor Apel vom 13.9.1834, SB I, 162.

Schon um diese Zeit bildete sich aber bei mir die Ansicht von der Unmöglichkeit aus, auf dem Gebiete der Symphonie nach dem Vorgange Beethovens noch Neues und Beachtenswertes zu leisten; wogegen die Oper, für die ich mich tiefinnerlichst immer mehr ohne eigentliches Vorbild fühlte, mir in verschiedenartiger Gestalt als anreizende Kunstform sich zeigte"[21]. Die Oper wurde also von Interesse für Wagner, weil es für ihn in dieser Gattung keinen Komponisten von so außerordentlichem Rang wie Beethoven und keine Werke von so bestimmender Dominanz wie dessen Symphonien gab. Wagner floh, als er die Symphonie — vorübergehend — aufgab, vor allem den eigenen Anspruch an das Komponieren, dem er sich offensichtlich nicht gewachsen fühlte. Daß er sich auf ein Terrain flüchtete, das ohne beherrschende Vorbilder war, lag nahe; daß es die Oper war, der er näher trat, bestätigt, wie fern er dieser Gattung zuvor gestanden hatte. Die Abkehr von der Symphonie war indessen keine Abkehr von der Instrumentalmusik generell. Auch bestand Wagners kritische Haltung gegenüber der Oper weiter. 1835 berichtete er seinem Freund Apel aus Magdeburg: "Es fiel mir letzthin einmal ein, eine Ouvertüre zu Romeo u. Julia zu komponieren; — ich überlegte mir die Anlage, u. sollte man es glauben? — kam ganz von selbst auf die Anlage der Bellinischen — so faden u. abgeschmackten Ouvertüre zurück, mit seinem kampfähnlichen Crescendo"[22]. Das Aufgeben der Symphonie war also vor allem ein Aufgeben ihrer Form. Das Problem bei der Komposition einer Ouvertüre über das Sujet von Romeo und Julia bestand darin, eine ebenso angemessene wie künstlerisch befriedigende Anlage zu finden,

21 ML 112.
22 SB I, 227.

57

ein Problem im übrigen, das Wagner nicht nur 1835 beschäftigt hat. Im Jahre 1868 notierte er einige Thementakte mit der Überschrift "Romeo u. Julie", aus denen er allem Anschein nach ein Orchesterwerk entwickeln wollte, das aber, wie so viele Projekte, Plan geblieben ist.

Daß Wagner die Frage einer eigenständigen Instrumentalmusik, unabhängig und fernab der Symphonie, stark beschäftigte, zeigt eine Mitteilung in der "Autobiographischen Skizze" (1842): "Ich gab mein Vorbild, Beethoven, auf; seine letzte Symphonie erschien mir als der Schlußstein einer großen Kunstepoche, über welchen hinaus Keiner zu dringen vermöge und innerhalb dessen Keiner zur Selbständigkeit gelangen könne. Das schien mir auch Mendelssohn gefühlt zu haben, als er mit seinen kleineren Orchester-Kompositionen hervortrat, die große abgeschlossene Form der Beethovenschen Symphonie unberührt lassend; es schien mir, er wolle, mit einer kleineren, gänzlich freigegebenen Form beginnend, sich eine größere selbst erschaffen"[23]. Die Verbeugung vor Felix Mendelssohn-Bartholdy geschah gewiß nicht ganz ohne Gedanken an den Nutzen, den der Gewandhauskapellmeister dem Komponisten des "Rienzi" und des "Fliegenden Holländers" gegebenenfalls bringen konnte. Es war jedoch auch ein Hinweis auf den Komponisten, der — wenn auch gewiß nur zum Teil — zum neuen Vorbild geworden war, nachdem sich Wagner von Beethoven abgewendet hatte. Hans von Wolzogen teilte in seinen "Erinnerungen" später mit, Wagner habe in einem Gespräch über Mendelssohn gesagt: "Ich wußte damals nichts besseres zu tun, als ihm nachzuahmen, was ich freilich seitdem gründlich verlernt habe"[24]. Glase-

[23] SB I, 101f.
[24] Hans von Wolzogen, Erinnerungen an Richard Wagner, Wien 1883, S. 37.

napp, Wagners Biograph, zitierte diesen Ausspruch und bezog ihn auf die Columbus-Ouvertüre[25]. In der Tat ist der Einfluß Mendelssohns in diesem Werk deutlich spürbar. Wagner schrieb dieses erste selbständige Instrumentalstück nach dem gescheiterten Symphonieprojekt vom Sommer 1834 um die Wende zum Jahr 1835 zu dem gleichnamigen Schauspiel seines Freundes Theodor Apel. Die Dreiklangsbrechungen in den Streichinstrumenten sind eng verwandt mit den Arpeggio-Figuren in der Ouvertüre zum Märchen von der schönen Melusine, wo sie wie hier die Aufgabe haben, Sphäre und Stimmung von Wasser und Meer zu suggerieren[26]. Es sind die gleichen auf- und abgehenden, gleichsam kreisenden Figuren, die auch Vorspiel und erste Szene im "Rheingold" prägen, Figuren, die man im übrigen auch in der Ouvertüre "Meeresstille und glückliche Fahrt"[26a] finden kann. Die Fanfaren der Trompeten, zu verstehen als Hinweis auf das neue Land, das Columbus entdeckt, sind von jenen hergeleitet, die im Schlußteil von "Meeresstille und glückliche Fahrt" das gute Ende, das gesichtete Land — entsprechend der Schlußzeile in Goethes Gedicht — signalisieren. Wagners Verzicht auf die Sonatensatzform zugunsten einer freien, dem Sujet entsprechenden Anlage ist vorgebildet in den genannten Ouvertüren Mendelssohns, in denen die Sonatensatzform zurückgedrängt, gleichsam reduziert, verdeckt auftritt, als Schema, das sich noch erkennen läßt, das aber nicht mehr im Zentrum des kompositorischen Interesses steht, nicht mehr zum Wesen der Sache gehört. Der für die Columbus-Ouvertüre charakteristische Wechsel von Abschnitten, die sich durch Tempo, spezifische Thematik und In-

---

[25] Glasenapp VI, 221.
[26] vgl. Wagners Beschreibung, ML 118f.
[26a] Wagner führte das Werk am 13.1.1835 in Magdeburg auf.

strumentation voneinander abheben, ist auch ein Merkmal der Ouvertüren Mendelssohns, wenn auch dort im Vergleich zu Wagners Columbus-Ouvertüre ungleich subtiler gehandhabt, vermittelter und − wie der aufrechterhaltene Bezug zur Sonatensatzform zeigt − noch den klassischen Mustern verpflichtet. Das veranschaulicht auch die Orchesterbesetzung, die bei Mendelssohn die der klassischen Symphonie ist − ohne Posaunen − mit einer zusätzlichen 3. Trompete in "Meeresstille und glückliche Fahrt", während Wagner vier Hörner, sechs Trompeten, drei Posaunen und Tuba verlangt. Heinrich Dorn, der die Columbus-Ouvertüre 1838 in einem Konzert in Riga hörte, meinte daher in seiner Rezension in der "Neuen Zeitschrift für Musik" während man "Konzeption und Durchführung nicht anders als Beethovenisch" habe nennen können, sei "das Außenwerk hochmodern, beinahe Bellinisch" gewesen[27]. Daß Dorn das Vorbild Mendelssohns so völlig übersah, ist verständlich; denn während Mendelssohn zurückhaltend und unaufdringlich versuchte, Poesie und klassische musikalische Form zu verbinden und in Harmonie zu bringen, scheute Wagner vor dem grellen Effekt nicht zurück. Seine drastische Steigerung der Mendelssohnschen Stilelemente war zugleich eine unverhohlene Vergröberung. Seine sechs Trompeten bezeugen das hinreichend, deren Wirkung seinerzeit wahrscheinlich viel gewaltiger war als sie es heute wäre, da das entsprechende Gegengewicht eines großen Streicherensembles, wie es jetzt allgemein üblich ist, seinerzeit fehlte. Eindrucksvoll hat Wagner selbst geschildert, wie die Lärmorgie des Schlusses der Columbus-Ouvertüre auf die wenigen Hörer eines Magdeburger

---

[27] Neue Zeitschrift für Musik, 24.7.1838.

Konzerts mit Wilhelmine Schröder-Devrient 1835 gewirkt hat[28].

Charakteristisch für Wagner — und in dieser Beziehung deutlich von Mendelssohns Ouvertüren unterschieden — sind die häufigen Tempowechsel, Kennzeichen auch der nachfolgenden größeren Instrumentalkompositionen. Das innerhalb einer durchgehenden Komposition völlig unveränderte Tempo gehört in Wagners Werken zu den seltenen Ausnahmen.

Obwohl Wagner die Columbus-Ouvertüre später als "leider ungemein flüchtig ausgeführtes Tonstück"[29] bezeichnete, hat er es doch häufig zur Aufführung gebracht, und daß es nach der Zeit seines Pariser Aufenthaltes (1839—1842) keine Rolle mehr gespielt hat, mag zwar mit dem Wandel in Wagners Schaffen und Selbsteinschätzung zusammenhängen, hat aber vielleicht auch nur mit der Tatsache zu tun, daß Wagner die Partitur in Paris abhanden gekommen zu sein scheint. Sie ist erst 1887 wieder zugänglich gewesen, mittlerweile aber wieder verschollen.

Ehrgeiziger als die Columbus-Ouvertüre, die Wagner gewiß nicht als Nebenwerk geschrieben hat, waren die beiden folgenden Kompositionen, die Ouvertüren "Polonia" und "Rule Britannia", komponiert 1836 in Berlin bzw. 1837 in Königsberg. Wagner hatte es sogar auf eine Art Tryptichon abgesehen; in "Mein Leben" heißt es: "Zu diesen beiden Ouvertüren trug ich mich mit einem dritten Seitenstück, einer Ouvertüre mit dem Titel 'Napoléon'"[30]. Die Polonia-Ouvertüre ging zurück auf Wag-

---

[28] ML 120f.
[29] ML 118.
[30] ML 162.

ners Anteilnahme an der Niederlage der Polen im Aufstand gegen die Russen 1831 und seine Sympathie für die polnischen Flüchtlinge, die er bei ihrem Durchzug durch Leipzig erlebt hatte. Daß Wagner die Komposition erst 1836 niederschrieb, als er in Berlin auf die Annahme seines "Liebesverbots" am Königstädter Theater wartete, dürfte einerseits damit zusammenhängen, daß er 1831, während des Unterrichts bei Müller und Weinlig, das Komponieren nach klassischen Mustern nicht mit seinen Vorstellungen von einer musikalischen Huldigung an Polen zu verbinden wußte; andererseits haben vermutlich die Jung-Deutschen Adolf Glassbrenner und besonders Heinrich Laube, die Wagner während seines Berlin-Aufenthaltes häufig traf, die Erinnerung an den polnischen Aufstand lebendig werden lassen. Laube schrieb zu jener Zeit am zweiten Teil seines Romans "Das junge Europa", in dem der Kampf der Polen gegen die Russen mit unverhohlener Sympathie für die Aufständischen dargestellt wird. Was demgegenüber Wagner bewogen hat, eine Ouvertüre über das englische Lied "Rule Britannia" zu schreiben, ist unbekannt. Vielleicht wurde er durch "Wellingtons Sieg oder die Schlacht bei Vittoria" op. 91 von Beethoven angeregt, eine Komposition, in der das "Rule Britannia"-Lied das musikalische Kennzeichen der englischen Armee ist. Wagner hatte stets eine Vorliebe für das Werk und es in dem erwähnten Magdeburger Konzert mit Wilhelmine Schröder-Devrient, zusammen mit der Columbus-Ouvertüre, sehr effektvoll aufgeführt. Da sich keine unmittelbaren Anlässe zur Komposition der Ouvertüren nachweisen lassen, muß man annehmen, daß beide Stücke, "Polonia" wie "Rule Britannia", weitere Versuche waren, anspruchsvolle Instrumentalmusik zu komponieren, ohne in das Fahrwasser der Beethovenschen Symphonie zu geraten. Bemerkenswert ist dabei, daß Wagner sich in der Zeit, in der er die beiden Werke schrieb und in der er sich vermutlich auch mit dem erwähnten Plan zu einer Napoléon-Ouvertüre trug, kompositorisch mit nichts anderem beschäftigt hat. Zur "Hohen Braut", einer vieraktigen Oper, deren Prosaentwurf Wagner 1836 schrieb und sogleich an Eugène Scribe nach Paris sandte, hat er nichts komponiert, und die Komposition der Gelegenheitsoper "Die lustige Bärenfamilie", die eventuell schon im Frühsommer 1837 begonnen wurde, brach er sogleich ab, weil ihm das Genre und der darin übliche Musikstil mißfielen.

"Polonia" wie "Rule Britannia" sind nicht frei von Beethoven-Einflüssen, wie z.B. die Synkopen im Hauptthema der Polonia-Ouvertüre zeigen, die dem Hauptthema der Ouvertüre Leonore III verwandt sind. Auch ist die Tatsache, daß sowohl "Polonia" als auch "Rule Britannia" im Unterschied zur Columbus-Ouvertüre der Sonatensatzform folgen — mit Verkehrung der Reihenfolge der Themen in der Reprise von "Rule Britannia" —, ein deutlicher Hinweis auf die Abhängigkeit von der Tradition. Dem symphonischen Schema von langsamer Einleitung mit nachfolgendem Allegro in Sonatensatzform steht allerdings in der Polonia-Ouvertüre eine ebenso deutliche Tendenz zum Potpourri gegenüber. Wagner, der nach seiner eigenen Darstellung seinem Erlebnis einer nächtlichen Gesellschaft mit polnischen Flüchtlingen musikalischen Ausdruck geben wollte, reihte polnische Nationaltänze und -lieder aneinander. Er bediente sich dabei der aktuellen Folklore durch Zitate und Übernahmen, Anspielungen und Paraphrasen[31]. Daß er durch das

[31] Richard Wagner und die polnische Musikkultur, Katowice 1964, S. 15—20, 36.

unüberhörbare Anstimmen von polnischen Freiheitslie-
dern eine politische Meinung hätte bekunden wollen,
darf ausgeschlossen werden. Der polnische Aufstand besaß 1836 in Berlin kaum Aktualität, und außerdem hatte
Wagner keine Gelegenheit, seine Komposition zur Aufführung und damit zur Wirkung zu bringen. Man darf daher wohl annehmen, daß es ihm um die Lösung eines
kompositorischen, künstlerischen Problems gegangen ist.
Bestätigt wird diese These durch den Kommentar, den
Wagner in seiner Autobiographie zur Entstehung von
"Rule Britannia" gab. Es heißt dort: "Die Zeit, in welcher ich ohne Funktion für das Theater blieb, trug
mancherlei Kränkendes für mich mit sich; immerhin
glaubte ich die Ruhe des erreichten Hafens für meine
Kunst ausbeuten zu müssen: ich führte einige Arbeiten
aus, worunter eine große Ouvertüre über das 'Rule Britannia'"[32].

Drei Tendenzen leiteten Wagner: Volkstümlichkeit,
Massenwirkung und symphonischer Anspruch. Das letzte
zeigt sich in der wenn auch modifizierten und überdeck-
ten Sonatensatzanlage mit langsamer Einleitung, aber
auch in der Durchführungstechnik, der motivischen Arbeit, im Umfang der Stücke und im Nachdruck, mit dem
sie auftreten. Die Volkstümlichkeit oder die Neigung dazu ist greifbar in den geläufigen Melodien, die Wagner
den Werken zugrundelegte. "Rule Britannia" sollte nach
Wagners Willen auf einem Musikfest in Königsberg erklingen[33]. Das entsprach seiner Vorstellung von Massenwirkung. In "Rule Britannia" verlangte er zum großen
Orchester, das aus 2 Piccoli, 2 Flöten, 2 Oboen, 3 Klarinetten, 2 Fagotti, Serpent und Kontrafagott, 4 Hör-

[32] ML 161.
[33] ML 162.

nern, 4 Trompeten, 3 Posaunen, Ophikleide, Pauken, Triangel, Militärtrommel, Becken, großer Trommel und Streichinstrumenten besteht, für den Maestoso-Schlußteil noch eine "starke Militärbande"[34], die, nach der autographen Partitur, das Orchester zu verstärken hat (nicht etwa eigene Stimmen spielt). Mit dieser Besetzung verließ Wagner die Dimensionen des Konzertsaals, wie er es ähnlich schon mit der Columbus-Ouvertüre getan hatte. Man darf annehmen, daß er für die geplante Napoléon-Ouvertüre eine noch größere Orchesterbesetzung vorgeschrieben, noch mehr Aufwand getrieben hätte. Das klingt an in der Beschreibung, die er — nach Cosima Wagners Tagebuch — später von dem Plan des Stücks gegeben hat: "er wollte seinen Helden bis zum Russischen Feldzug im Glanzpunkt, von da ab in der Décadence darstellen, für die Spitze der Pyramide brauchte er einen Tam-Tam-Schlag; über die Zulässigkeit desselben in der Musik geriet er in Zweifel und befrug jemand. Da er sich nicht entschließen konnte, den Tam-Tam anzuwenden, so gab er das Ganze auf [. . .] Energisch soll die Musik sein, wir haben die Pauke, die Trompete, doch der Tam-Tam ist Barbarei, hier kommt auch alles auf die Sophrosyne der Griechen an; der Tam-Tam-Schlag nimmt der Musik alle Idealität"[35]. Auch wenn zu berücksichtigen ist, daß Wagner diese Worte aus der ästhetischen Position einer viel späteren Zeit gesprochen hat, dürfte doch soviel feststehen, daß er über dem Plan zur Napoléon-Ouvertüre Zweifel bekam an der Richtigkeit und künstlerischen Glaubwürdigkeit seiner hemmungslosen Tendenz zur "großen Massenwirkung"[36]. Daß Wagner

[34] ebda.
[35] CT 12.7.1869.
[36] ML 162.

später ironisch den Tam-Tam-Schlag zum alleinigen Entscheidungspunkt machte[37], sollte den Anschein des Nicht-ganz-ernst-Gemeinten wecken, sollte ablenken von der Tatsache, daß es dem Komponisten in Wahrheit mit der Napoléon-Ouvertüre sehr ernst gewesen war.

Der Anspruch, den Wagner mit seinen Instrumentalkompositionen stellte, zeigt sich auch daran, daß Wagner die Partitur von "Rule Britannia" an die Philharmonische Gesellschaft in London sandte und allen Ernstes die Hoffnung hegte, das Orchester der Gesellschaft werde die Komposition sogleich aufführen. Auch wenn Wagner meinte, seine Vertonung des englischen Nationalliedes müsse seiner Komposition gleichsam zwangsläufig den Weg in die Konzerte der Londoner Philharmonischen Gesellschaft ebnen, bot er doch nicht mehr an als die aufwendige Ouvertüre eines unbekannten Provinzkapellmeisters. Das Unternehmen war höchst unrealistisch und ist nur als Zeichen der Ambition Wagners als Instrumentalkomponist zu begreifen.

***

Von zentraler Bedeutung in Wagners Instrumentalschaffen ist die später unter dem Titel "Eine Faust-Ouvertüre" veröffentlichte Komposition. Wagner schrieb sie Anfang Dezember 1839 in Paris: der Entwurf trägt das Schlußdatum "13.Dec:39"; am Ende der Partitur ist "12. Jan:1840" vermerkt. Nach Wagners eigener Darstellung war zunächst eine ganze Faust-Symphonie geplant, deren zweiter Satz Gretchen zum Gegenstand haben sollte. Ein im Wahnfried-Archiv erhaltenes Skizzenblatt, das vor-

[37] ebda.

nehmlich Entwürfe zum "Fliegenden Holländer" enthält, zeigt eine achttaktige, auf zwei Systemen notierte Phrase im Dreivierteltakt (Notenbeispiel 1) mit der Überschrift "Gretchen". Wagners Plan war also nicht nur eine Idee. Das bestätigt auch die publizierte Ouvertüre, die in ihrer ersten Gestalt nichts anderes ist als der erste Satz der geplanten Symphonie. Den Beweis erbringt das Autograph der Partitur, das zwar auf der ersten Notenseite den autographen Titel "Ouverture./ Zu / Göthes Faust. Ier. Theil." trägt, jedoch anhand der andersfarbigen Tinte, mit der die Überschrift geschreiben wurde, klar erkennen läßt, daß der Titel nachträglich eingefügt worden ist, der Satz also ursprünglich ohne Überschrift war. Wie bei Symphoniesätzen üblich trug er nur die Tempovorschrift am Beginn. Das Werk, dessen Substanz auch in der später veröffentlichten Version nicht wesentlich verändert worden ist, muß daher als Symphoniesatz verstanden und gewertet werden. Es ist seiner Intention nach keine Ouvertüre. Jedoch kündigte Wagner die Komposition bereits am 18.1.1840, also nur sechs Tage nach Abschluß der Partitur, in einem Brief an Meyerbeer als "eine Ouvertüre, Faust, erster Teil"[38] an, eventuell in der Hoffnung, durch diesen Hinweis Meyerbeers Protektion für eine Aufführung in Paris zu erlangen. Immerhin könnte Wagner, der darauf brannte, als Komponist bekannt zu werden, seinen Symphoniesatz prophylaktisch als Ouvertüre

[38] Giacomo Meyerbeer, Briefwechsel und Tagebücher, hg.v.H. und G.Becker, Bd. 3, Berlin 1975, S. 229. — Daß Wagner die Faust-Komposition Meyerbeer gegenüber überhaupt erwähnte, hängt wahrscheinlich mit der Orchesterprobe einer allerdings nicht näher bezeichneten Ouvertüre Wagners zusammen, die am 7.12.1839 stattgefunden hatte. Meyerbeer, auf dessen Vermittlung sie vermutlich zurückging, hatte dieser Probe beigewohnt, wie sein Eintrag in seinem Taschenkalender zeigt (G.M., Briefwechsel . . ., a.a.O., S. 217).

bezeichnet haben in der gewiß richtigen Annahme, daß ein dem Anschein nach abgeschlossenes Werk mehr Aussicht auf Protektion und Annahme habe als ein einzelner Satz einer im übrigen unfertigen Symphonie. Dafür spricht, daß Wagner seinen Symphoniesatz erst mit "Ouverture" überschrieben hat, als er die Instrumentenbezeichnungen, die ursprünglich französisch lauteten, in italienische änderte. Für beides, die Überschrift und die neuen Instrumentennamen, verwendete er die gleiche, rote Tinte. Es ist so gut wie ausgeschlossen, daß diese Änderung in Paris und für eine Aufführung mit einem französischen Orchester gemacht worden ist, dem die französischen Instrumentenbezeichnungen doch genau entsprochen hätten. Daß Wagner als Überschrift die französische Schreibweise von Ouvertüre wählte, ist indessen kein Argument, da auch schon die Ouvertüren "Polonia" und "Rule Britannia" mit "Ouverture" betitelt sind. Möglicherweise hat Wagner den Titel "Ouverture" erst in Dresden über die Partitur gesetzt, als er sich erneut mit der Komposition befaßte, um sie aufzuführen. Das wäre 1844 gewesen. Sicher ist, daß der Zusatz "Zu Göthes Faust.Ier Theil" später als der Titel "Ouverture" eingetragen worden ist. Das beweisen der Punkt nach "Ouverture" und die andersfarbige Tinte, mit der der Zusatz geschrieben worden ist. Der endgültige Titel wurde also wahrscheinlich erst in Deutschland verfaßt, und man muß annehmen, daß sich Wagner noch lange nach der Vollendung des ersten Satzes mit dem Plan zur Faust-Symphonie beschäftigt hat. Zumindest hat er die Idee nicht ganz aufgegeben. Daß ihm dieser Plan wichtig war, zeigt seine mehrfache Erwähnung in den autobiographischen Schriften[39].

[39] Eine Mitteilung an meine Freunde, SS IV, 261. – ML 210.

Wagner hat es später so dargestellt, als hätte ihn das
Erlebnis von Beethovens neunter Symphonie in der Interpretation durch das Conservatoire-Orchester unter
Francois Habeneck zur Komposition der Faust-Symphonie bzw. -Ouvertüre angeregt, und als habe er das Werk,
abgestoßen und angewidert von der Pariser Kunstöffent-
lichkeit, nur für sich selbst komponiert[40]. Dem steht
mehreres entgegen. Zunächst zeigen die französischen
Instrumentenbezeichnungen, daß Wagner sehr wohl an
eine Aufführung oder Publikation in Frankreich gedacht
hat. Die Orchesterbesetzung weist mit ihren vier Fagotten auf die damals in Paris übliche Besetzung hin. Berlioz' dramatische Symphonie "Roméo et Juliette", deren
erste Aufführung in Paris am 24.11.1839 stattfand,
schreibt gleichfalls vier Fagotte vor. In dieses Bild fügt
sich der zitierte Brief an Meyerbeer vom 18.1.1840
ebenso bruchlos ein, wie die undatierte briefliche Bitte
an das Conservatoire-Orchester, die Faust-Ouvertüre —
"une pièce instrumentale calculée sur les forces si rédui-
santes du premier orchestre du monde"[41] — wenn nicht
in einem Konzert, so doch in einer Probe aufzuführen.
Zweifel sind auch an der Behauptung geboten, die Faust-
Symphonie sei aus dem neuerlichen Beethoven-Erlebnis,
speziell unter dem Eindruck der neunten Symphonie
entstanden. Wagner integrierte die Faust-Symphonie in
die Verbindung von Beethovenerlebnis und künstlerischer Wende, die er als zentrales Ereignis seines Paris-
Aufenthaltes verstand und verstanden wissen wollte.
Zwar läßt sich nicht ganz exakt beweisen, daß es sich bei
dem Zusammenhang zwischen dem Erlebnis der neunten
Symphonie und der Komposition der Faust-Symphonie

[40] ML 210.
[41] SB I, 435.

um eine Mystifikation handelt — wie es deren in Wagners Darstellung seines Lebens mehrere gibt —, aber es lassen sich doch bemerkenswerte Indizien dafür beibringen, daß der Zusammenhang wohl kaum in dieser Weise und Unmittelbarkeit bestanden hat. Darauf deutet allein schon die Tatsache, daß er in den frühen autobiographischen Schriften, der "Autobiographischen Skizze" und "Eine Mitteilung an meine Freunde", völlig fehlt, obwohl in beiden sowohl das Pariser Beethovenerlebnis als auch die Faust-Komposition erwähnt werden. Erst die Autobiographie "Mein Leben" bringt beides in einen kausalen Zusammenhang.

Wagner müßte, wäre seine Behauptung richtig, im Oktober oder November 1839, Beethovens IX. Symphonie unter der Leitung Habenecks gehört und erlebt haben, da bereits am 13. Dezember die Komposition des ersten Satzes der Faust-Symphonie fertig vorlag (wenn auch noch nicht instrumentiert). Eine Aufführung der Beethoven-Symphonie fand in dieser Zeit in Paris nicht statt. Es kann sich also — und darin ist Wagner Recht zu geben — nur um eine Probe zu dem Werk gehandelt haben. Eine solche läßt sich jedoch nicht nachweisen, und überdies ist sie nicht wahrscheinlich. Denn die Neunte war für das Conservatoire-Orchester keine Novität, die häufiger Proben bedurft hätte. Sieben Mal war die Symphonie seit 1831 im Conservatoire aufgeführt worden. Im Jahre 1839 hatte es bereits zwei Aufführungen gegeben, am 10. Februar und am 21. April (in dieser Aufführung wurden allerdings nur der 2. und der 4. Satz gespielt). Zieht man in Betracht, daß die nächste Aufführung im 5. Konzert des Conservatoire-Orchesters am 8. März 1840 stattfand, dann erscheint es höchst unwahrscheinlich, daß bereits im Oktober oder November 1839 geprobt worden sein soll. Habeneck scheint sich in seinen Proben vornehmlich auf das unmittelbar bevorstehende Konzert bezogen zu haben. Das legt die Tatsache nahe, daß er in der ersten Probe der Saison 1839/40, die am 24. Oktober abgehalten wurde, nur eine Komposition probte, die im ersten Konzert aufgeführt werden sollte, nämlich eine der Leonoren-Ouvertüren. Da in den übrigen Konzerten der Saison mehrere Symphonien Haydns und Beethovens (4.,7.) auf dem Programm standen, ist anzunehmen, daß Habeneck zunächst sie und nicht die erst für das letzte Konzert vorgesehene Neunte geprobt hat. Im übrigen hatten die Proben noch die Funktion, Kompositionen auf ihre Eignung für die Konzerte durchzuspielen, wie die erste Probe am 24. Oktober beweist, in der eine Symphonie von Taeglichsbeck gespielt wurde. Wagner selbst kam bekanntlich am 4. Februar 1840 in den Genuß einer solchen Probenaufführung, und zwar mit seiner Columbus-Ouvertüre. Es ist in diesem Zusammenhang nicht ganz uninteressant, daß 1894 in einem längeren Aufsatz über die Faust-Ouvertüre in den "Bayreuther Blättern" mitgeteilt wurde, Wagner habe die IX. Symphonie in Paris erstmals am 8. März 1840 gehört, eine Information, die aus der Luft gegriffen sein kann, möglicherweise aber auch aus Haus Wahnfried stammt[42].

Auch der innere Zusammenhang der Faust-Komposition mit der neunten Symphonie ist keine Eigenheit, die ins Auge fällt. Die Faust-Symphonie ist Beethoven kaum mehr verpflichtet als die Polonia- oder die Rule Britannia-Ouvertüre, und andererseits war Wagners "Irrewerden an dem Ausdrucke der Beethovenschen Kompositionen"[43] nie eine fundamentale und totale Abkehr von

[42] Bayreuther Blätter 1894, S. 242. ——————— [43] ML 209.

Beethoven, auch wenn Wagner es später so dargestellt hat. Ein Kapellmeister, dessen Idole tatsächlich Auber und Bellini gewesen wären, hätte kaum die Initiative zu einer Konzertreihe mit sämtlichen großen Symphonien Beethovens — die Neunte ausgenommen — ergriffen, wie es Wagner 1838 in Riga tat. Wagners Versuch, ein neuerliches und grundlegendes Beethovenerlebnis zum Dreh- und Angelpunkt auch der Entstehung der Faust-Symphonie zu machen, setzt sich dem Verdacht der — bewußten oder unbewußten — Verschleierung der wahren Zusammenhänge aus. Zu bedenken ist nämlich folgendes: am 24.11., 1. und 15.12.1839 fanden — mit beträchtlichem publizistischem Aufwand und gewiß als Hauptereignis der neuen Saison — die ersten Aufführungen von Berlioz' dramatischer Symphonie "Roméo et Juliette" in Paris statt. Nach der Darstellung in "Mein Leben" hat Wagner eine dieser Aufführungen besucht, und zwar entweder die Premiere oder die erste Wiederholung. Der Aufführung am 15.12. kann er nicht beigewohnt haben, da er zu dieser Zeit krank war. Das Erlebnis der Berliozschen Musik lag also vor der Entstehung des ersten Satzes der Faust-Symphonie, deren Entwurf, wie erwähnt, am 13.12.1839 fertig wurde. Es war das erste Werk Berlioz' überhaupt, das Wagner hörte[44]. Sein Eindruck auf Wagner scheint gewaltig gewesen zu sein. Das legt jedenfalls die Schilderung in der Autobiographie nahe, auch wenn Wagner darin — wie übrigens immer, wenn er über Berlioz schrieb — Berlioz gleichzeitig kritisierte. Vielleicht wollte er damit Eindrücke und Einflüsse herunterspielen, die ihm, insbesondere als französische, nicht lieb waren und die zuzugeben, ihm widerstrebte. In "Mein Leben" heißt es: "Dagegen hatten seine

[44] SB I, 465.

72

großen Instrumentalkompositionen [. . .] einen ungemein anregenden Eindruck auf mich hinterlassen. In jenem Winter (1839–1840) führte er in drei verschiedenen Aufführungen, von denen ich einer beiwohnen konnte, zum ersten Male seine 'Romeo-und-Julie'-Symphonie auf. Dies war mir allerdings eine neue Welt, in welcher ich mich, ganz den empfangenen Eindrücken gemäß, mit voller Unbefangenheit zurechtzufinden suchte. Zunächst hatte die Gewalt der nie zuvor von mir geahnten Virtuosität des Orchester-Vortrages auf mich geradezu betäubend gewirkt. Die phantastische Kühnheit und scharfe Präzision, mit welcher hier die gewagtesten Kombinationen wie mit den Händen greifbar auf mich eindrangen, trieben mein eignes musikalisch-poetisches Empfinden mit schonungslosem Ungestüm scheu in mein Inneres zurück. Ich war ganz nur Ohr für Dinge, von denen ich bisher gar keinen Begriff hatte und welche ich mir nun zu erklären suchen mußte. In 'Romeo und Julie' hatte ich allerdings häufig und andauernd Leeren und Nichtigkeiten empfunden, was mich um so mehr peinigte, als ich andrerseits von den mannigfaltigen hinreißenden Momenten in diesem, durch seine Ausdehnung und Zusammenstellung in Wahrheit dennoch verunglückten Kunstwerke mich bis zur Vernichtung jeder Möglichkeit eines Widerspruchs überwältigt fand."[45] Die Ausdrücke, mit denen Wagner sein Berlioz-Erlebnis schilderte, erinnern an jene, die ihm zur Darstellung seiner Beethovenbegeisterung dienten. Der Verdacht, daß dieses Erlebnis einer ihm völlig neuen symphonischen Musik in Wagner den Ehrgeiz weckte, selbst wieder an die Komposition von Instrumentalmusik zu gehen, liegt nahe. Bestätigt wird er durch die Tatsache, daß

[45] ML 228.

73

Wagner nicht bloß eine Symphonie plante, sondern —
und hier liegt das Vorbild Berlioz' auf der Hand — einen
literarischen Stoff, ein Drama der Weltliteratur zum Vor-
wurf seiner neuen Komposition nahm. Es ist nicht zu
viel behauptet, wenn man sagt, daß Wagner mit seiner
Faust-Symphonie in Konkurrenz treten wollte zu Berlioz' dramatischer Symphonie "Roméo et Juliette". Freilich ging Wagner in der Anlage seines Werkes andere Wege als Berlioz, eine Tatsache, die dazu angetan ist, den
Blick für die dennoch vorhandenen Abhängigkeiten zu
verstellen. Wagner plante vermutlich eine viersätzige
Symphonie. Der erste Satz hat — nach einer langsamen
Einleitung — Sonatensatzform. Daß der zweite, der der
Darstellung Gretchens gewidmet sein sollte, der Tradi-
tion entsprechend ein langsamer Satz geworden wäre, ist
anzunehmen. An die Verwendung von Chor und Solo-
stimmen hat Wagner vermutlich nicht gedacht; seine
Symphonie sollte ohne Text auskommen. Wie es scheint,
wollte er der deutschen Tradition folgen, der Tradition
Beethovens, die Gattungen also nicht vermischen, wie es
Berlioz in "Roméo et Juliette" rücksichtslos getan hatte.
Wagner war in dieser Frage sehr viel konservativer als
Berlioz. In einem Bericht aus Paris für die "Abend-Zeitung" in Dresden (5.5.1841) meinte Wagner, es wäre "zu
wünschen, Berlioz hätte vor der Aufführung diese Komposition einem Manne wie Cherubini vorgelegt, der gewiß, ohne dem originellen Werke auch nur den gering-
sten Schaden zuzufügen, es von einer starken Zahl ent-
stellender Unschönheiten zu entladen verstanden haben
würde"[46]. Zwar ist nicht deutlich, worin Wagner die
"Unschönheiten" sah, aber Cherubini in diesem Zusammenhang zu nennen, war ein unmißverständlicher Hin-

[46] SS XII, 90.

weis auf klassische Muster und Normen, als deren Wahrer sich der alte Cherubini verstand, und es ist ebenso unübersehbar, daß dazu auch die Geschiedenheit und unvermischte Ausprägung der Gattungen gehörte. Möglich, wenn nicht wahrscheinlich, daß Wagner insbesondere die – von Berlioz forcierte – Vermischung der Gattungen zuwider war, da er sie als Minderung der Eigenständigkeit und des Rangs der Instrumentalmusik empfand. Der bereits zitierte Aufsatz "Über deutsches Musikwesen" legt diesen Gedanken nahe[47]. Die Romeo-Symphonie genügte Wagners Anspruch an die "höhere Instrumentalmusik" nicht.

Andererseits sind einige Gemeinsamkeiten mit dem Werk Berlioz' nicht zu überhören. Das von tiefen Instrumenten (Kontrabässe und Serpent) ausgeführte breite Rezitativ zu Beginn der Faust-Symphonie[48] hat im ersten Teil von "Roméo et Juliette" sein Vorbild. Charakteristisch für beide Werke ist die Dominanz der Chromatik. Sie kennzeichnet die Themen und Motive, aber ebenso Begleitfiguren und Baßlinien. Die Chromatik – in der Verbindung mit einem Grundintervall (Oktave) – im Hauptthema des ersten Satzes der Faust-Symphonie ist im ersten Abschnitt des zweiten Teils von "Roméo et Juliette" deutlich angelegt. In beiden Fällen ist sie Ausdruck der Melancholie. Berlioz hat den Beginn des zweiten Teils seiner Symphonie mit "Roméo seul.—Tristesse" und der Tempobezeichnung "Andante malinconico e sostenuto" überschrieben. Das entspräche Wagners Intention, nach welcher im ersten Satz der Symphonie "Faust in der Einsamkeit" dargestellt werden sollte[49]. Anleh-

[47] SS I, 155f.
[48] vgl. das Faksimile der 1. Seite in: Barth, Mack, Voss, Abbildung 36.
[49] Uhlig-Briefe 248.

nung an Berlioz besteht auch in der Instrumentation, wenngleich die Wagnersche lapidar-einfach wirkt im Vergleich zur Vielfalt und Differenziertheit derjenigen von Berlioz. Unverkennbar aber ist Wagners Bestreben, die Blasinstrumente stärker am zentralen musikalischen Geschehen zu beteiligen und einen selbständigen Bläsersatz zu schreiben. Die volltönenden kompakten Klänge sind ebenso an Berlioz orientiert wie der Versuch, den Begleitfiguren eine eigene Physiognomie zu geben. In der Reprise geht das fast bis zu wörtlichen Entlehnungen. Es war daher gewiß kein Zufall, daß nach der mutmaßlichen Uraufführung 1844 in Dresden die Komposition als "Nachahmung Berlioz'scher Manier" kritisiert wurde[50].

Gleichfalls nicht zufällig dürften Wagners Skrupel gewesen sein, den ersten Satz seiner Symphonie gleichsam unter den Augen Berlioz' aufführen zu lassen. Wagners diesbezügliche Schilderung in "Mein Leben" ist aufschlußreich: "Gewiß war es, daß ich um jene Zeit mich schülerhaft klein neben Berlioz empfand; und so versetzte es mich denn in wahrhafte Verlegenheit, als Schlesinger jetzt den Erfolg meiner Novelle [Eine Pilgerfahrt zu Beethoven] in einem mir günstigen Sinne auszubeuten beschloß und mich aufforderte, in einem großen, von der Redaktion der 'Gazette musicale' zu gebenden Konzerte etwas für Orchester von mir aufführen zu lassen. Ich begriff nämlich, daß keine meiner vorrätigen Kompositionen, weder nach der einen noch der andren Seite hin, hier vorteilhaft für mich am Platze sein würde. Meiner neuen 'Faust-Ouvertüre' traute ich noch nicht, namentlich ihres zartausgehenden Schlusses wegen, der, wie

---

[50] Abend-Zeitung, Dresden, 25.7.1844, Kirchmeyer II, Spalte 458.

mich dünkte, nur vor einem mir bereits befreundeten Publikum im Sinne des äußeren Erfolges Beachtung finden konnte"[51]. Da Berlioz zu den prominentesten Mitarbeitern der "Revue et Gazette musicale" gehörte, außerdem zu denen zählte, die zum erwähnten Erfolg der Beethoven-Novelle beigetragen hatten, mochte Wagner die Aufforderung zur Aufführung eines eigenen Orchesterwerks geradezu als Prüfung empfinden, als direkte Konfrontation mit dem Komponisten, den er − bei aller Einschränkung − bewunderte, dem er es gleichtun wollte, dem er sich aber nicht gewachsen fühlte. Die Sorge, vor Berlioz nicht bestehen zu können, beschwichtigte Wagner, indem er sich für die Columbus-Ouvertüre entschied, die am 4.2.1841 zur Aufführung kam und von Berlioz − nach Wagners Darstellung − ohne jeden Kommentar angehört wurde[52].

Wich Wagner der unmittelbaren Beurteilung seiner Faust-Komposition durch Berlioz aus, so hatte er doch andererseits die Hoffnung und den Ehrgeiz, sie im Conservatoire zur Aufführung zu bringen. Jedenfalls schrieb er eigenhändig zu diesem Zweck die Orchesterstimmen aus[53] und richtete − wie erwähnt − an das Orchester die Bitte, die Komposition in einer Probe zu spielen. Der Brief, der die Bitte enthält, ist zwar ohne Datum, dürfte aber, wie aus dem Hinweis auf die Probe der Columbus-Ouvertüre im Februar 1840 hervorgeht, 1841 geschrieben worden sein. Er hatte indessen nicht den gewünschten Erfolg.

Wagners Skepsis bezüglich des "zartausgehenden Schlusses" der Faust-Komposition ist ein Hinweis auf die

[51] ML 229.
[52] ML 230.
[53] ML 227.

erste Umarbeitung des Stücks, das in der ersten Fassung ziemlich unvermittelt mit einem Forteschlag des gesamten Orchesters schließt, also wohl kaum "zart" ausgeht. Diese Charakterisierung trifft viel eher auf den Schluß zu, den auch die veröffentlichte Version enthält. Wagner hat ihn demnach schon in Paris, 1840 oder Anfang 1841, komponiert. Das bestätigt die Skizze des neuen Schlusses, die auf einem Blatt notiert ist, das auf der Rückseite Entwürfe zum "Fliegenden Holländer" enthält. Mit dieser Änderung begann eine Reihe von Umarbeitungen, die 1855 ihren Abschluß fanden mit der Fassung, die dann als "Eine Faust-Ouvertüre" publiziert worden ist. Nachdem in Paris eine Aufführung nicht zustandegekommen war — jedenfalls lassen sich keine Zeugnisse finden, die auf eine Aufführung deuten oder sie wahrscheinlich erscheinen lassen —, nutzte Wagner seine neue Stellung als sächsischer Hofkapellmeister, um seinen Symphoniesatz aufzuführen. Ursprünglich für den 23.12.1843 angesetzt fand die erste Aufführung aber doch erst am 22.7. 1844 in Dresden statt. Vermutlich im Anschluß an diese erste Aufführung unternahm Wagner die zweite Umarbeitung. Die Verkürzung der Notenwerte der Anfangsphrase[54] dürfte auf Erfahrungen bei der Probe und Aufführung zurückgehen. Das gleiche gilt für die zahlreichen Revisionen der dynamischen Bezeichnungen, die mit derselben Tinte vorgenommen worden sind wie die Änderung der Notenwerte am Anfang des Stücks. Wagners Beschäftigung mit dem Werk hielt also an, auch wenn er in der Folgezeit keine weiteren Initiativen zu Aufführungen oder zur Veröffentlichung ergriff.

* * *

[54] vgl. das unter Anmerkung 48 angegebene Faksimile.

Im November 1844 schrieb Wagner eine Trauermusik. Anlaß war die auch von Wagner energisch betriebene Überführung der Urne mit der Asche Carl Maria von Webers von London nach Dresden. Die Musik hatte den Zug mit der Urne durch die Straßen Dresdens, vom Schiffslandeplatz zum Friedhof, zu begleiten. "Diese Überführung" — berichtete Wagner später in seiner Autobiographie — "sollte am Abend bei Fackelschein in feierlichem Zuge vor sich gehen; ich hatte es übernommen, für die dabei auszuführende Trauermusik zu sorgen. Ich stellte diese aus zwei Motiven aus 'Euryanthe' zusammen; durch die Musik, welche die Geistervision in der Ouvertüre bezeichnet, leitete ich die ebenfalls ganz unveränderte, nur nach B-dur transponierte Kavatine der Euryanthe 'Hier dicht am Quell' ein, um hieran die verklärte Wiederaufnahme des ersten Motives, wie es sich am Ende der Oper wieder vorfindet, als Schluß anzureihen. Dieses somit sehr gut sich fügende symphonische Stück hatte ich für 80 ausgewählte Blasinstrumente besonders orchestriert und bei aller Fülle hierbei namentlich auf die Benützung der weichsten Lagen derselben studiert; das schaurige Tremolo der Bratschen in dem der Ouvertüre entlehnten Teile ließ ich durch zwanzig gedämpfte Trommeln im leisesten piano ersetzen und erreichte durch das Ganze, schon als wir ts im Theater probierten, eine so überaus ergreifende und namentlich gerade unser Andenken an Weber innig berührende Wirkung, daß, wie die hierbei gegenwärtige Frau Schröder-Devrient, welche allerdings noch mit Weber persönlich befreundet gewesen war, zu der erhabensten Rührung hingerissen wurde, auch ich mir sagen konnte, noch nie etwas seinem Zwecke so vollkommen Entsprechendes ausgeführt zu haben. Nicht minder glückte die Ausführung der Musik auf offener Straße beim feierlichen Zuge selbst".[55] Obwohl Wagner gar keine eigene Komposition verfaßte, sondern ein Arrangement bereits vorhandener Musik machte, nannte er es doch ein "symphonisches Stück". Vorbild für diese Prozessionsmusik war abermals ein Werk von Berlioz, nämlich die von Wagner sehr geschätzte und mehrfach rühmend erwähnte "Symphonie funébre et triomphale", die 1840 "zur Feier der Beisetzung der Juligefallenen unter der Säule des Bastilleplatzes"[56] in Erinnerung an die Julirevolution 1830 ebenfalls als Prozessionsmusik in den Straßen von Paris erklungen war. Die Gemeinsamkeiten mit der Komposition Berlioz' gehen freilich über die Verwandtschaft im Anlaß, die auf Blas- und Schlaginstrumente beschränkte Orchesterbesetzung und den feierlich-zeremonialen Charakter der Musik und ihrer Aufführung nicht hinaus.

Zwar spricht aus der Tatsache, daß auf dem Titelblatt des Autographs der Weber-Trauermusik — wenn auch von fremder Hand — die Bezeichnung "Trauersinfonie" steht, die sich im übrigen als Titel des Klavierauszuges wiederfindet, ein Anspruch, der über den Rahmen einer Gelegenheitskomposition hinausweist, Wagners symphonischer Ehrgeiz wurde damit aber wohl kaum berührt.

***

[55] ML 350f.
[56] ML 228.

Als Wagner im Jahre 1846 mit der Komposition des "Lohengrin" begann, hatte er allem Anschein nach gleichzeitig Symphoniepläne. Auf einem Skizzenblatt, das eine Reihe von Melodien und Motiven zum "Lohengrin" enthält, sind drei insgesamt 24 Takte umfassende einzeilige Entwürfe aufgezeichnet, die mit "Symphonie" überschrieben sind[57]. Zwei der jeweils achttaktigen Phrasen haben die gleiche Musik zum Inhalt, stellen zwei Versionen des gleichen Themas dar. Eine der beiden Fassungen ist mit "Symphonie I" überschrieben, die dritte, von den beiden anderen unabhängige Phrase trägt die Überschrift "Symphonie II". Wagner wollte also allem Anschein nach gleich zwei Symphonien in E-dur komponieren; denn daß sich die römischen Ziffern auf den ersten und zweiten Satz einer einzigen Symphonie beziehen, ist nicht wahrscheinlich, da Wagner einen zweiten Satz einer E-dur-Symphonie wohl kaum auch in E-dur geschrieben hätte. Weil die auf dem gleichen Blatt notierten Melodien und Motive zum "Lohengrin" überwiegend rudimentäre Vorformen der später tatsächlich verwendeten sind, kann man annehmen, daß sie aus der frühesten Zeit der Komposition des "Lohengrin" stammen. Sie müßten demnach im Frühjahr 1846 entstanden sein, zur Zeit, als Wagner sich intensiv mit Beethovens neunter Symphonie beschäftigte, um sie am Palmsonntag (5.4.) zum ersten Mal selbst zu dirigieren. Es könnte gut sein, daß Beethovens Symphonie die Anregung gab für neue Ambitionen Wagners, auch selbst wieder an die Komposition von Symphonien zu gehen. Freilich blieb es, wie danach immer häufiger, bei Plänen und Fragmenten.

***

[57] Obrist, 365.

Als Wagner 1849, auf Liszts Anfrage und Wunsch, die Partitur seines inzwischen als "Ouvertüre zu Goethes Faust" titulierten Symphoniesatzes an Liszt nach Weimar sandte, schrieb er, er wüßte keinen Grund, sie zurückzuhalten, außer den, daß sie ihm nicht mehr gefalle[58]. Man darf diese Äußerung getrost als Versuch prophylaktischer Neutralisierung eventueller kritischer Einwände Liszts werten, der zu jener Zeit ein prominenterer Musiker war als Wagner und noch nicht so eng mit Wagner befreundet wie später. Hätte es sich tatsächlich so verhalten, wie Wagner schrieb, so hätte er die Komposition wohl kaum zur Verfügung gestellt. Als dann 1852 Liszt von der erfolgreichen Aufführung des Werks in Weimar berichtete, antwortete Wagner (29.5.), er könne "dieser Komposition nicht gram werden", und in unmittelbarem Anschluß daran sprach er davon, Partitur und Klavierauszug der "Ouvertüre" publizieren zu wollen[59]. Als Liszt dann die Partitur zurückschickte, machte er einige kritische Bemerkungen zum zweiten Thema und zur Instrumentation. "Die Blasinstrumente treten da etwas massiv auf — und, verzeihe mir diese Meinung, das Motiv in F-dur halte ich für ungenügend — es fehlt ihm gewissermaßen an Grazie und bildet da eine Art von Zwischending, nicht recht Fisch nicht recht Fleisch, welches mit dem Vorhergehenden und dem Nachfolgenden nicht in dem richtigen Verhältnis oder Kontrast steht, und folglich das Interesse hemmt. Wenn Du anstatt diesem einen weichen, zarten, gretchenhaft modulierten, melodischen Satz hineinbringst, so glaube ich Dich versichern zu können, daß Dein Werk sehr gewinnt"[60]. Wagners

[58] Brief vom 30.1.1849, SB II, 638.
[59] Brief vom 29.5.1852, Wagner-Liszt I, 162f.
[60] Brief vom 7.10.1852, Wagner-Liszt I, 183.

Antwort an Liszt findet sich im Brief vom 9.11.1852. Eingehender und treffender jedoch beschrieb er die Situation und seine eigene Reaktion in einem Brief an seinen Freund Theodor Uhlig, der das Datum des 27.11. 1852 trägt. Darin heißt es: "Liszts Bemerkung zur 'Faust-Ouvertüre' war folgende: er vermißte ein zweites Thema, welches das 'Gretchen' plastischer darstelle, und er wünschte deshalb, entweder ein solches noch hinzugefügt oder das zweite Thema der Ouvertüre geändert zu sehen. Dies war unbedingt sehr fein und richtig empfunden von ihm, dem ich die Komposition als eine 'Ouvertüre zu Göthe's Faust Theil I' vorgelegt hatte. Ich mußte ihm nun darauf antworten, daß er allerdings sehr scharfsichtig auf einer Lüge mich ertappt hätte, als ich (gedankenlos) mir oder ihm weiß machen wollte, ich hätte eine solche Ouvertüre geschrieben. Sehr schnell würde er mich aber verstehen, wenn ich die Komposition betiteln würde "Faust in der Einsamkeit". In der Tat hatte ich mit diesem Tonstück nur einen ersten Satz einer Faustsymphonie im Sinne: Hier ist Faust das Subjekt, und das Weib schwebt ihm nur als der unbestimmte, formlose Gegenstand seiner Sehnsucht vor, als solcher ist er ihm unfaßbar, unerreichbar: deshalb seine Verzweiflung, seine Verfluchung aller marternder Vorstellungen des Schönen, sein Hineinrasen in zauberhaften, wahnsinnigen Schmerz. — Erst der zweite Teil sollte nun die Erscheinung des Weibes bringen; er würde Gret'chen so zum Subjekt gehabt haben, wie der erste Satz den Faust. Schon hatte ich Thema und Stimmung hierzu: — da — gab ich das Ganze auf, und machte mich — meiner Natur getreu — an den 'fliegenden Holländer", womit ich mich aus allem Instrumental-Musik-Nebel zur Bestimmtheit des Dramas erlöste. — Dennoch bleibt mir jene Komposition nicht uninteressant; nur, wenn ich sie einmal noch herausgebe, soll es unter dem Titel geschehen: 'Faust in der Einsamkeit' ein Tongedicht"[61]. Wie ernst es Wagner mit der Herausgabe war, zeigt die Tatsache, daß er seine autographe Partitur sogleich mit dem neuen Titel versah. "Der einsame Faust (oder: Faust in der Einsamkeit) / ein Tongedicht für das Orchester" ist auf dem Titelblatt zu lesen. Dem entspricht der Satz im Brief an Liszt (9.11. 1852): "Gebe ich's heraus, so will ich's aber richtig benennen: 'Faust in der Einsamkeit' oder 'Der einsame Faust' — ein Tongedicht für Orchester"[62]. Zugleich gestand Wagner die Notwendigkeit der Überarbeitung zu, meinte aber, sie könne nur "die instrumentative Modulation" betreffen, womit er sich wahrscheinlich vor allem auf die Instrumentation bezog. Zu dem anderen, zentraleren Gesichtspunkt in Liszts Kritik schrieb Wagner jedoch: "das von Dir gewollte Thema ist unmöglich noch einzuführen: es würde dann natürlich eine ganz neue Komposition werden müssen, die ich nicht Lust zu machen habe"[63]. Wie es scheint, fehlte es aber zunächst selbst an der Lust, die anderen Änderungen vorzunehmen, und auch in der Frage der Veröffentlichung tat sich nichts, obwohl Breitkopf & Härtel ihre Bereitschaft erklärt hatten, das Werk in ihren Verlag zu übernehmen. Es war Liszts Nachricht (1.1.1855) von der Vollendung seiner Faust-Symphonie, die Wagner zur neuerlichen Beschäftigung mit seinem Symphonie-Satz zum gleichen Thema anregte. Die Energie, die Wagner plötzlich auf die Revision seiner Faust-Komposition anwandte, obwohl er gleichzeitig durch die Instrumentation der Musik zur

[61] Uhlig-Briefe 248.
[62] Wagner-Liszt I, 190.
[63] ebda.

"Walküre" voll ausgelastet war, zeigt eindringlich die Ambition, mit der die Komposition verbunden war. Aufschlußreich ist auch die Art, wie Wagner darüber an Liszt berichtete. Nachdem er seine Neugier auf Liszts Faust-Symphonie geschildert hatte, schrieb er: "Lächerlicher Weise überfiel mich gerade jetzt eine völlige Lust, meine alte Faustouvertüre noch einmal neu zu bearbeiten: ich hab' eine ganz neue Partitur geschrieben; die Instrumentation durchgehends neu gearbeitet, manches geändert, auch in der Mitte etwas mehr Ausdehnung und Bedeutung (2. Motiv) gegeben. In einigen Tagen führe ich mir's in einem hiesigen Konzerte auf, und nenne es — 'Eine Faust-Ouvertüre'" (Brief vom 19.1.1855)[64]. Mit diesem Titel wurde das Stück schließlich auch herausgegeben, versehen zudem mit den Versen 1566 bis 1571 aus dem ersten Teil von Goethes Faust (Der Gott, der mir im Busen wohnt . . .), die Wagner schon im zitierten Brief an Liszt als Motto des Werks genannt hatte. Als er dann die Druckausgabe an seinen Freund August Roeckel ins Zuchthaus Waldheim nach Sachsen sandte, kommentierte er seine Sendung mit der Bemerkung, die neu bearbeitete Komposition erscheine ihm in dieser Gestalt "nicht unwürdig"[65]. Schon zuvor hatte er Liszt gegenüber geäußert, die Umarbeitung der Komposition habe ihn wieder für sie eingenommen[66].

Die Änderungen betrafen vornehmlich folgende Stellen. In Takt 131—132 schrieb Wagner einen neuen Übergang, der die Modulation nach A-dur plausibler und schlüssiger erscheinen läßt. Mit "etwas mehr Ausdehnung und Bedeutung in der Mitte" meinte Wagner den Seiten-

[64] Wagner-Liszt II, 47.
[65] Brief vom 23.8.1856, Roeckel-Briefe 71.
[66] Wagner-Liszt II, 51.

satz, in den die Takte 146 bis 166 eingeschoben wurden. Sie ersetzen zwei Takte der ersten Fassung und führen zwei neue Motive ein. Bemerkenswert ist dabei, daß Wagner den Seitensatz der Reprise völlig unangetastet ließ und die neuen Motive nicht wiederholte. Geändert gegenüber der ersten Fassung wurden auch die Takte 243 bis 253, zuvor eine.Passage von 12 Takten mit einer Massierung von Orchesterschlägen, die Wagner verkürzt und vereinfacht hat. In der Reprise schließlich gab Wagner dem Überleitungsabschnitt zum Seitensatz etwas mehr Ausdehnung (Takt 343–348). Die Bearbeitung war nicht bloß ein Präparieren der Komposition für die Publikation, Kosmetik also, sondern kompositorische Auseinandersetzung. Freilich stand nicht mehr der Symphoniesatz mit seiner Sonatenform zur Diskussion. Wagner hätte sonst wohl kaum die einseitige Erweiterung des Seitensatzes der Exposition vorgenommen, die die Proportionen des Sonatensatzes arg entstellt. Es ging um das "Tongedicht", eine symphonische Dichtung, die indessen – das zeigt vor allem die Tatsache, daß Wagner ein ganz neues Partiturmanuskript anfertigte – Wagners ganze Aufmerksamkeit aufnahm und gewiß nicht minder ambitioniert war als die Faust-Symphonie von 1839.

Die erneute Beschäftigung und Auseinandersetzung mit dem zur Ouvertüre erklärten ersten Satz der Faust-Symphonie steht quer zu dem, was Wagner in seinen Zürcher Schriften, vor allem im "Kunstwerk der Zukunft" und in "Oper und Drama" über die Zukunft der Musik und die Musik der Zukunft gesagt hatte. Das Wort von der Erlösung "aus allem Instrumental-Musik-Nebel zur Bestimmtheit des Dramas" im Brief an Uhlig entsprach dem Tenor der Schriften. Die Theorie mochte ausreichen zu erklären, warum die Faust-Symphonie

Fragment geblieben war. Warum Wagner sich erneut mit ihr befaßte, sie sogar publizierte und wiederholt öffentlich aufführte, erklärt sie nicht. Die Überschrift "Ein Tongedicht für das Orchester" von 1852 war ein Versuch, die Komposition zu legitimieren, nachdem Wagner der absoluten Musik die Legitimation gleichsam abgesprochen hatte. Ähnliches gilt für den seltsamen Titel "Eine Faust-Ouvertüre" und die Verwendung eines Mottos.

* * *

Mag sich die Wiederbeschäftigung mit der Faust-Komposition als Parallele zu Liszts Entwicklung neuer Formen der Instrumentalmusik begreifen lassen, auf die das Verdikt der theoretischen Schriften Wagners nicht zutreffe, so ist eine andere Tatsache kaum anders zu erklären als durch die Vermutung, daß Wagners Theorie eine Sache, seine kompositorische Ambition aber eine andere war – die Tatsache nämlich, daß die erste größere Komposition, die Wagner nach langer kompositorischer Enthaltsamkeit und der Niederschrift und Veröffentlichung seiner bekannten theoretischen Schriften mit ihrer ausschließlichen Propagierung des musikalischen Dramas zu Papier brachte, ausgerechnet eine Sonate für Klavier war. Kürze und Einsätzigkeit des Werks sowie Wagners spätere Veröffentlichungstitel "Eine Sonate für das Album von Frau M.W." und "Album-Sonate" – beide finden sich im Erstdruck von 1878 – können nicht darüber hinwegtäuschen, daß es sich bei der Komposition um ein ambitioniertes Werk und nicht bloß um ein Albumblatt handelt. Carl Dahlhaus hat im Vorwort seiner Edition der Sonate in der neuen Gesamtausgabe denn auch darauf

87

hingewiesen, daß sie "als 'Werk' im unverwässerten Sinne des Wortes aus der Gruppe der Klavierkompositionen herausragt"[67]. Auch Wagner selbst verstand die Komposition so; denn als er sie an Wesendoncks schickte, schrieb er an Otto Wesendonck (20.Juni 1853): "geben Sie Ihrer Frau die beiliegende Sonate, meine erste Komposition seit der Vollendung des Lohengrin (es ist 6 Jahre her!)"[68]. Das Wort "Komposition" meinte er durchaus im emphatisch-anspruchsvollen Sinne. In der Bedeutung des bloßen Niederschreibens von Noten konnte er es nicht meinen, da er kurz zuvor, am 29. Mai, eine scherzhafte Polka für Klavier komponiert und Mathilde Wesendonck geschickt hatte.

Wagner widmete die Sonate — vermutlich schon als er sie komponierte — seiner Freundin Mathilde Wesendonck. Dieser Zusammenhang ist zu beachten, wenn man die abfälligen Urteile Wagners aus späterer Zeit, wie sie in Cosima Wagners Tagebuch festgehalten sind, liest. Da wird das Werk als "seicht, nichtssagend"[69] und als "elegante Nichtigkeit"[70] bezeichnet. Daß Wagner mit der Stilisierung der Sonate zur "Gelegenheitskomposition" vor allem von seiner emotionalen Beziehung zu Mathilde Wesendonck ablenken wollte, versteht sich. In seiner Autobiographie, die er bekanntlich Cosima diktierte, erwähnte er die Sonate gar nicht, obwohl er — nach den sog. Annalen, den Notizen für "Mein Leben" — darauf eingehen wollte. Dort nämlich ist unter dem Jahr 1853 lapidar eingetragen: "Wesendoncks verreisen. Sonate."[71].

[67] Richard Wagner, Sämtliche Werke, Band 19, hg. v. C. Dahlhaus, Mainz 1970, S. VII.
[68] Wesendonck-Briefe 6.
[69] CT 30.8.1877.
[70] CT 15.12.1877.
[71] BB 122.

Auch das Autograph trägt den uneingeschränkten Titel "Sonate" mit dem Zusatz "für Mathilde Wesendonck".

In der Komposition selbst, so simpel im musikalischen Satz und so bar allen virtuosen Schwungs, der zu einer großen Klaviersonate gehört, sie ist, kann man den kompositorischen Ehrgeiz gleichsam mit Händen greifen. Der Versuch, Sonatensatzform und Mehrsätzigkeit der klassischen Sonate miteinander zu verschränken, gehört dazu ebenso wie die Tendenz, dem Stück durch die Verkehrung der Reihenfolge der Themen und thematischen Komplexe in der Reprise besondere architektonische Geschlossenheit und Ausgewogenheit der Gewichte zu geben. Am deutlichsten aber zeigt sich die Ambition des Komponisten im Durchführungsteil. In keiner seiner Instrumentalkompositionen hat sich Wagner energischer und konsequenter mit der Technik der Sonatendurchführung auseinandergesetzt. Fast schulmäßig werden da Modelle aus thematischem Material der Exposition gebildet, sequenziert, verkürzt und aufgelöst. Es dürfte auch kein Zufall sein, daß sich in der Durchführung gegen Ende ein kurzes Zitat aus der Faust-Ouvertüre findet: In den Takten 140 bis 143 wird ein Motiv aus dem dritten Thema des Werks zitiert. Wagners Anspruch kommt schließlich auch in dem Motto zum Ausdruck, mit dem er die Sonate im Autograph überschrieb. "Wißt ihr wie das wird?" ist eine unverkennbare Anspielung auf die Nornenszene in der "Götterdämmerung", deren Text Wagner im Februar 1853 im Zürcher Hotel Baur au lac vor einem großen Kreis geladener Gäste, darunter auch Wesendoncks, vorgelesen hatte. Unverkennbar auch steckt im ersten Thema der Sonate das Motiv der Schicksalsfrage, das im "Ring des Nibelungen" zuerst in der Todverkündigungsszene der "Walküre" auftritt. An Pathos fehlt es also nicht, und es war nur folgerichtig, daß Mathilde Wesendonck in ihrer Antwort auf die Übersendung des Manuskripts der Sonate meinte, das Werk würde erst durch das Spiel des Meisters "seine wahre Weihe" erhalten[72]. Wagner hat sich im übrigen vermutlich auch deshalb an einer Sonate versucht, weil Mathilde Wesendonck eine Verehrerin der Sonaten Beethovens war und sie regelmäßig spielte, beraten und angeleitet von Wagner[73].

**

In einem Kapitel über die Instrumentalwerke, die Wagners symphonischen Ehrgeiz spiegeln, sind Albumblätter fehl am Platze. Da in diesem Buch jedoch auch über Wagners Instrumentalschaffen insgesamt informiert werden soll, sei hier ein kleiner Exkurs über diese Kompositionen eingefügt. Als Albumblatt hat zunächst jedes kleinere Musikautograph zu gelten, das sich als Eintrag in Familien- oder Gästealben auffassen läßt und vom Komponisten eigens zu diesem Zweck angefertigt worden ist. Meist handelt es sich um eigenhändig von Wagner geschriebene Zettel und Blätter mit berühmten Themen und Motiven aus seinen Opern und Musikdramen. Es gibt sie in Hülle und Fülle. Wagner hat sich nicht immer die Mühe gemacht, eigens ein Autograph anzufertigen, wenn es galt, jemandem etwas für sein Album zu dedizieren, sondern sich seines Fundus an Skizzen und Entwürfen bedient. Es gibt jedoch auch umfangreichere Albumblätter, die selbständige Kompositionen sind. Vier solcher Stücke für Klavier sind erhalten. Die als Albumblatt für den Maler Ernst Benedikt Kietz bekannte Komposition

[72] Richard Wagner. Briefe. Die Sammlung Burrell, hg. v. J.N. Burk, Frankfurt/M 1950, S. 481.
[73] Heintz, Richard Wagner in Zürich, 93.

in E-dur, geschrieben in Paris Ende des Jahres 1840, ist
von Wagner im Autograph nicht als Albumblatt bezeichnet worden. Der Name wurde vielmehr aus einem
Scherzgedicht Wagners an Kietz, das augenscheinlich in
Verbindung mit dem Klavierstück steht, abgeleitet, dessen erste Zeilen lauten: "Lieber Kietz, nimm hin dies
Lied, / Für dein Album ich's beschied; / Worte fehlen, —
mir zur Schmach! — / Doch die kommen einst noch
nach!"[74]. Man könnte das Stück daher ebenso als Lied
ohne Worte bezeichnen. Im Unterschied zu dieser Komposition, die im Klaviersatz ein wenig an Schuberts Im-
promptus erinnert und bar ist jeder Anspielung auf eine
andere Komposition Wagners, sind die drei anderen Albumblätter ausdrücklich als solche betitelt, von Anfang
an für bestimmte Personen verfaßt und geprägt durch
deutliche oder verdeckte Reminiszenzen an Opern und
Musikdramen Wagners. Wagner schrieb sie 1861 für die
Fürstin Metternich und die Gräfin Pourtalès, sowie 1875
für Betty Schott in Mainz. Sie waren Zeichen der Dank-
barkeit, im Falle von Betty Schott ein respektables Geschenk an Wagners Verleger, der es auch prompt mit einem aufwendigen Titelblatt veröffentlichte. Die Anspielungen auf "Tannhäuser" — im Stück für die Gräfin Pourtalès, das übrigens den biographisch zu erklärenden Titel
"Ankunft bei den schwarzen Schwänen" trägt[75] — und
auf die "Meistersinger von Nürnberg" — im Albumblatt
für Betty Schott — sind gleichsam etwas breitere Ausfüh-
rungen des Brauchs, bekannte Themen und Motive zum
Inhalt der Albumblätter zu machen. Als Cosima Wagner
Betty Schott, der Wagner das Albumblatt bereits 1872

[74] SB I, 600 — vgl. Gotthelf.
[75] vgl. Wagners Brief an Malvida von Meysenbug vom 25.7.
1861, in: Richard Wagner an Freunde und Zeitgenossen,
hg. v. E. Kloss, Berlin/Leipzig 1909, S. 284.

versprochen hatte, 1875 mit einem Brief vertröstete, schrieb sie zur Erläuterung der Verzögerung: "Mein Mann nimmt sich fest vor, als erste Arbeit des neuen Jahres das 'Albumblatt' für Sie zu entwerfen, denn er will Ihnen nicht nur ein Autograph, sondern einen musikalischen Gedanken widmen"[76].

Die Albumblätter, von denen das für die Fürstin Metternich 1871, das für die Gräfin Pourtalès posthum veröffentlicht wurden, erlebten hohe Auflagen und erschienen in zahlreichen Transkriptionen[76a], die nach Zahl und Art denen von Auszügen aus den Opern und Musikdramen nicht nachstehen. Sie haben das Wagnerbild der Vergangenheit mitgeprägt. Man kann annehmen, daß das Albumblatt für die Fürstin Metternich die bekannteste und verbreitetste Instrumentalkomposition Wagners überhaupt gewesen ist. Bearbeitet als "Romanze für Violine mit Orchester"[76b] von dem Geiger und ersten Festspielkonzertmeister August Wilhelmj erklang es am 22.5. 1873 im Markgräflichen Opernhaus in Bayreuth innerhalb einer Festveranstaltung zu Wagners 60. Geburtstag. Das gleiche Arrangement hat im zwanzigsten Jahrhundert durch Schallplattenaufnahmen weite Verbreitung gefunden, wie übrigens auch die für eine ganz ähnliche Besetzung arrangierte Orchesterfassung des Wesendonck-Liedes "Träume".

[76] Schott-Briefe 183.

[76a] z.B.: Ankunft bei den schwarzen Schwänen. Albumblatt komponiert von Richard Wagner, übertragen für Violoncello und Pianoforte von Franz Bennat, Leipzig 1899, Robert Forberg, Plattennummer 5316.

[76b] Albumblatt von Richard Wagner als Romanze für Violine mit Orchester oder Klavier bearbeitet von August Wilhelmj, E.W.Fritzsch, Leipzig 1873, Plattennummer E.W.F.203.L.

Zwei Albumblätter, von denen Wagner in seiner Auto-biographie sprach, sind nicht überliefert. Da Wagners Darstellung keinen eindeutigen Schluß auf die Art dieser Albumblätter zuläßt, muß offen bleiben, ob es sich bei diesen Autographen um selbständige Kompositionen oder gar Klavierstücke gehandelt hat. Das eine für die Großherzogin von Baden aus dem Jahre 1857 hatte "'Wotans Abschied' aus dem Schlusse der 'Walküre'" zum Inhalt[77], das andere, geschrieben 1863 für die spätere Mäzenin Marie von Buch, ein Wort Calderons als Motto[78].

Das Album, in das man berühmte Persönlichkeiten Dankadressen, Verse und Geflügelte Worte, aber auch Noten eintragen ließ, galt der Repräsentation. Zugleich aber lag in der Tatsache, daß die Albumblätter an bestimmte Personen gerichtet waren, ein Moment von Intimität. Diese Eigenschaft eignet zwei kleineren Kompositionen Wagners, die man zwar allein schon ihres geringen Umfanges wegen nicht den bekannten Albumblättern für Klavier an die Seite stellen kann, und die vermutlich nicht einmal als Klavierstücke gemeint sind, die aber dennoch im Charakter den Albumblättern nahestehen. Es sind dies das sog. Notenbriefchen für Mathilde Wesendonck und das Porazzi-Thema, beides Notate von wenigen Takten (18 bzw. 13) aus der Zeit der Komposition des "Tristan". Das Notenbriefchen ist eine erste, vermutlich eigens für Mathilde Wesendonck angefertigte Ausführung von frühen thematischen Einfällen zum "Tristan". Der Entwurf dazu ist datiert mit "19.Dez.56" und hat als Überschrift "Liebesszene. Tristan und Isolde".

[77] ML 636.
[78] ML 846.

Wagner notierte die kleine Komposition mit der Über-schrift "Schlaflos" auf Briefpapier und schickte sie an Frau Wesendonck — daher der Name "Notenbriefchen". Die Nähe des Satzes zur Klaviernotation sollte es Mathil-de Wesendonck vermutlich ermöglichen, das Stück am Klavier zu spielen.

Wahrscheinlich aus der Zeit der Komposition am zweiten Akt des "Tristan" stammt die erste Version des sog. Porazzi-Themas, das Wagner nach der Darstellung Cosima Wagners erst 1882 in Palermo aufgezeichnet haben soll, als er an der Piazza dei Porazzi wohnte. Diese erste nur acht Takte umfassende Version steht auf einem Skizzenblatt mit Entwürfen zum 2. "Tristan"-Akt und wurde später zur heute bekannten Form er-gänzt. Sehr wahrscheinlich hat Wagner in Palermo ledig-lich eine Reinschrift für Cosima geschrieben, eben jenes Blatt, das Otto Strobel im Bayreuther Festspielführer 1934 im Faksimile veröffentlicht hat. Die Ansicht je-denfalls, daß es sich bei dieser Musik um so etwas wie den letzten musikalischen Gedanken Wagners handelt, die seit der nicht gerade geschmackvollen Verwendung des Porazzi-Themas in Viscontis Film über Ludwig II. von Bayern sich eingenistet hat, ist falsch. Das Porazzi-Thema läßt sich als Miniaturform eines Albumblattes für Cosima auffassen[79], auch wenn — noch deutlicher als im Notenbriefchen — kein Klaviersatz im engeren Sinne vorliegt. Allerdings läßt sich auch von den größe-ren Albumblättern nicht behaupten, daß sie nach Satz und Notation ausgeprägt klavieristisch seien. Auch sie haben — zumindest stellenweise — Particellcharakter.

Den Albumblättern ·nahe stehen zwei parodistische Stücke, die schon erwähnte Polka in G-dur und der Zür-

[79] vgl. Glasenapp VI, 770.

cher Vielliebchen-Walzer, entstanden 1853 bzw. 1854 und geschrieben für Mathilde Wesendonck bzw. ihre Schwester, die 1854 zu Besuch in Zürich war. Es sind musikalische Scherze, in denen Wagner Form und Inhalt, Anspruch und Einlösung auf groteske Weise hat auseinanderklaffen lassen. Es sind Dokumente des Übermutes, der aus der Biographie Wagners erklärt werden mag, aus dem Erfolg der Zürcher Maikonzerte des Jahres 1853, der vor allem ein Erfolg Wagners bei den Frauen war und insbesondere zur Vertiefung der emotionalen Beziehung zwischen Wagner und Mathilde Wesendonck beigetragen hat. Wagner bezog in der Folgezeit nahezu sein gesamtes Komponieren auf Mathilde. Als erstes, nach der Polka, schrieb er die erwähnte Sonate für sie, das ernst-pathetische Gegenstück zur Polka. Dann versah er die Skizze der "Walküre" mit zahlreichen Kürzeln, die sämtlich verschlüsselte Huldigungen an sie darstellen, wie jenes berühmte G.s.M. = Gesegnet sei Mathilde. Die überarbeitete Faust-Symphonie sollte Mathilde Wesendonck gewidmet werden, und um dieser Widmung willen wollte Wagner zunächst sogar auf die Publikation des Werks verzichten. Es folgten "Tristan und Isolde" und die Lieder auf Texte von Mathilde Wesendonck. Das Lied "Träume" instrumentierte er 1857, wenige Tage nach seiner Entstehung, für Solovioline und kleines Orchester, um es Mathilde zu ihrem Geburtstag als Ständchen darzubringen.

***

Nach der Sonate für Mathilde Wesendonck und der Umarbeitung des ersten Satzes der Faust-Symphonie scheint Wagner mehrere Jahre lang weder Pläne noch Skizzen zu Instrumentalkompositionen gemacht zu haben. Er komponierte den "Tristan", schrieb den neuen, heute allgemein geläufigen "Holländer"-Schluß, schuf für die Pariser "Tannhäuser"-Aufführung am 13.3. 1861 eine neue Fassung der Oper (mit zwei gänzlich neukomponierten Szenen) und begann die Komposition der "Meistersinger von Nürnberg". Nachdem ihn Ludwig II. von Bayern 1864 durch seine Berufung nach München von der unmittelbaren Bedrohung durch Schulden, Gläubiger und akute Geldnot befreit hatte, meldete sich anscheinend auch wieder Wagners kompositorischer Ehrgeiz: denn Cosima berichtete in ihrem Tagebuch am 19.5.1869, anläßlich der Komposition des dritten "Siegfried"-Aktes: "Vor Tisch spielt mir R., was er gearbeitet hat, und freut sich, daß mehrere Themen, welche in der 'Starnberger Zeit' entstanden und die wir scherzend zu Quartetten und Symphonien bestimmt haben, jetzt ihre Bestimmung finden". Daß nicht nur "scherzend" von Quartetten und Symphonien die Rede war, als Wagner im Sommer 1864 am Starnberger See lebte und Cosima zum ersten Male zu ihm gezogen war, wird bewiesen durch eine andere, sehr folgenreiche Notiz in Cosimas Tagebüchern. Danach gehörte das erste Thema des Siegfried-Idylls zu jenen Themen, die Wagner in Starnberg 1864 eingefallen sind. Auf diesen Zusammenhang bezieht sich die Tagebucheintragung von dem "Thema, das in Starnberg ihm gekommen sei (bei unsrem dortigen Zusammenleben) und das er mir als Quartett versprochen hatte"[80]. Auf diese Aussage gründet sich die von Ernest Newman[81] und nach ihm von Gerald Abraham aufgestellte These, daß es ein Starnberger Quartett gegeben habe, und daß dieses

[80] CT 30.1.1871.
[81] E. Newman, The Life of Richard Wagner, Band 3, New York 1960, S. 271–275.

Quartett eine Vorform des Siegfried-Idylls gewesen sei. Abraham hat sogar einen Rekonstruktionsversuch unternommen, der auch veröffentlicht worden ist[81a]. Dem ist entgegenzuhalten, daß es keinen einzigen Hinweis darauf gibt, daß Wagner in Starnberg tatsächlich ein Quartett komponiert hat. Abrahams Behauptung, dieses Quartett sei einsätzig gewesen, entbehrt erst recht der Grundlage. Ferner ist folgendes zu bedenken: Wagner notierte das Thema, das dann sowohl in das Siegfried-Idyll als auch in den dritten Akt des "Siegfried" einging ("Ewig war ich, ewig bin ich"), mit dem Datum "14 Nov. 64", zu einer Zeit also, als er sich nicht mehr mit Cosima in Starnberg, sondern ohne sie in München befand, und er zeichnete das Thema stellenweise fünf- und sechsstimmig auf, woraus zu schließen ist, daß er es nicht im Hinblick auf ein Streichquartett, sondern für eine größere Besetzung notiert hat. Vermutlich bezog er es bereits auf den "Ring des Nibelungen"; denn am 7.10., also einen Monat zuvor, hatte Ludwig II. Wagner offiziell den Auftrag zur Vollendung der Tetralogie gegeben. Daß Wagner ein Thema, das ihm im Juli eingefallen wäre, erst im November aufgeschrieben hätte, entspricht nicht seiner Gewohnheit, und überdies betreffen die beigefügten Daten im allgemeinen die Entstehung und nicht nur die Notation der Musik. Möglich oder wahrscheinlich also, daß Wagner zwar in Starnberg ein Quartett für Cosima hat schreiben wollen, eventuell auch Themen dafür gesucht und aufgeschrieben hat, daß aber die Identifizierung des Hauptthemas aus dem Siegfried-Idyll mit einem Quartett-Thema aus der Starnberger Zeit entweder ein schlichter Irrtum oder aber eine Mystifikation ist. Daß in der Frage

[81a] Richard Wagner, Quartet Movement, Reconstructed by Gerald Abraham, London 1947 (Oxford University Press).

ein Widerspruch steckt, wird am deutlichsten sichtbar an der aus dem Jahre 1878 stammenden und sich auf das Siegfried-Idyll beziehenden Tagebucheintragung Cosimas, die lautet: "Wie ich ihn bemerke, sagt er mir: das erste Thema habe er damals in Starnberg bei meinem Besuch aufgeschrieben!"[82], eine Behauptung, die durch das Datum der tatsächlichen Niederschrift (14.11.1864) deutlich widerlegt wird. Vermutlich schoben sich die Erinnerungen an die glücklichen Starnberger Sommerwochen und an die 1864 entstandenen "Ring"-Themen ineinander, als Richard und Cosima Wagner später über die Zusammenhänge des Siegfried-Idylls mit ihrem Leben und ihrer Liebe nachsonnen und es zum "Heroischen Idyll" hochstilisierten.

Das gleiche Skizzenblatt, das die Notation des ersten Themas des Siegfried-Idylls mit dem Datum des 14.11. 1864 enthält, zeigt noch einen zweiten in diesem Zusammenhang wichtigen Entwurf. Notenbeispiel 2 gibt diese Skizze wieder, die sehr gut der Entwurf zu einem Streichquartettsatz sein könnte. Wagner hat als Datum "6 Sept." beigefügt; zu ergänzen ist wahrscheinlich 1864, da die wenige Zeilen darunter notierte sog. Friedensmelodie — wie erwähnt — am 14.11.1864 aufgeschrieben worden ist. Am 6.9.1864 hielt sich Wagner noch in Starnberg auf, am 3.9. hatte Cosima ihn verlassen. Es wäre denkbar, daß er, allein zurückgeblieben, an die Ausarbeitung jener versprochenen Quartette ging oder Themen und Anfänge aufschrieb. Daß die am 6.9. skizzierte Melodie eine Vorstudie zum Lied des jungen Seemanns aus dem ersten Akt des "Tristan" ist, die dann 1857 entstan-

---

82   Richard Graf Du Moulin Eckart, Cosima Wagner, Ein Lebens-
     und Charakterbild, Band 1, München/Berlin 1929, S. 819.

den sein müßte, wie Curt von Westernhagen behauptet[83], wird allein durch den kanonischen Themeneinsatz im Baß nach acht Takten widerlegt, den Westernhagen bezeichnenderweise völlig unterschlagen hat. Die von Westernhagen konstruierte Verbindung zwischen der Skizze und dem Seemannslied aus dem "Tristan" ist ein markantes Beispiel für die ideologischen Ansichten des Bayreuther Kreises über den Schaffensprozeß bei Wagner, und dafür, wie die Ideologie den Blick für die Tatsachen verstellt. So wie bisher stets kritiklos hingenommen wurde, daß die sog. Friedensmelodie aus dem "Siegfried" bzw. das erste Thema des Siegfried-Idylls das Hauptthema des Starnberger Quartetts gewesen sein soll, ebenso wurde die Skizze vom 6.9. mit Beharrlichkeit übersehen oder — wie bei Westernhagen, der das Verdienst hat, sie als erster überhaupt erwähnt zu haben — fehlgedeutet.

***

Im Sommer 1864 beschäftigte sich Wagner nicht allein mit Plänen zu Streichquartetten oder gar — wenn man Cosima glauben darf — mit Symphonien, sondern er schrieb auch den Huldigungsmarsch für Ludwig II., eine "Geburtstagsmusik", wie er ihn in den sog. Annalen nannte[84], die am 25.8., dem Geburtstage des Königs, in Hohenschwangau erklingen sollte, dann aber doch erst am 5.10. im Hofe der Münchner Residenz zur Aufführung kam. Obwohl für ein Militärorchester von 80 Musikern komponiert und durch die Tempoanweisungen

[83] C.v.Westernhagen, Die Entstehung des "Ring", Zürich/Freiburg i.B. 1973, S. 158f.
[84] BB 142.

Universitas
BIBLIOTHECA
Ottaviensis

"Mäßiges Marschtempo" (in der autographen Erstschrift) bzw. "In mäßigem Marschzeitmaße . . ." (im ebenfalls autographen Widmungsexemplar für den König) deutlich in die Nähe der Marschmusik gerückt, scheint Wagner sich zunächst gescheut zu haben, seine Komposition einen Marsch zu nennen. Dem König gegenüber gebrauchte er mit Nachdruck den Namen "Geburtstagsgruß"[85], und in einem Brief an Hans von Bülow bezeichnete er die Musik lapidar als "Geburtstagsstück"[86]. Dem entspricht, daß die im Herbst 1864 angefertigte Widmungsschrift der Partitur für den König keinen Titel trägt, sondern nur die Widmung "Zum neunzehnten Geburtstage Seiner Majestät des Königs Ludwig II.". Wie es scheint, sollte diese Geburtstagsmusik mehr sein als der obligatorische Defiliermarsch, und erst der Gedanke an die Veröffentlichung legte es — vielleicht auch in Ermangelung eines anderen Titels — nahe, den populären Namen "Marsch" zu wählen. Die Komposition — so aufwendig in der Besetzung und so massiert im Klang sie ist — hat denn auch Züge, die wenig typisch sind für einen Marsch. Abgesehen davon, daß Wagner nicht zwischen Marsch und Trio unterscheidet, sondern einer gleichsam langsamen Einleitung einen schnelleren Hauptteil folgen läßt, an dessen Ende die Einleitung noch einmal zitiert wird, hat das Hauptthema des Hauptteils fast lyrischen Charakter, dem die Fortissimo-Instrumentation gegen Schluß unangemessen ist. Wagner entsprach jedoch der repräsentativen Funktion, die eine Huldigungsmusik an einen Herrscher zu erfüllen hat, durch eine ebenso sonore wie lärmende Instrumentation, die Feierlichkeit und Größe, Erha-

[85] Brief vom 2.9.1864, Königsbriefe I, 21.
[86] Brief vom 23.9. 1864, Richard Wagner, Briefe an Hans von Bülow, Jena 1916, S. 223.

benheit und Gewalt suggerierte. Es ist bezeichnend, daß sich im Huldigungsmarsch für Ludwig II. eine der wenigen Stellen findet, an denen Wagner dreifaches Forte vorgeschrieben hat.

Mehr noch als diese Komposition zeichnen sich der 1871 komponierte Kaisermarsch und der 1876 "zur Eröffnung der hundertjährigen Gedenkfeier der Unabhängigkeits-Erklärung der vereinigten Staaten von Nordamerika" — so der genaue Titel — geschriebene Große Festmarsch durch pompöse und monumentale Züge aus, die sogleich an die Gründerzeit und ihren Hang zum Monumentalen denken lassen. Der lautstarke Optimismus und der Wille zum Großen sind indessen kompositorisch kaum abgesichert; die Diskrepanz zwischen Rhetorik und Substanz, zwischen Tonfall und kompositorischer Qualität ist unverkennbar und erweist die große Geste als Fassade. Man täte Wagner aber Unrecht, wenn man die Märsche als ebenso ambitioniert auffaßte und bewertete wie Quartette und Symphonien. Wagner rechnete sie nicht zur "höheren Instrumentalmusik", auch wenn er beispielsweise den Kaisermarsch 1871 in einem Konzert in Berlin zusammen mit Beethovens 5. Symphonie aufführte. Er zählte sie vielmehr zu den Kompositionen, von denen er hoffte oder annahm, daß sie populär würden. 1865 schrieb er an seinen Verleger Franz Schott mit Bezug auf den Huldigungsmarsch: "Ich schicke Ihnen ein Stück, welches nach der Meinung derer, die es hörten, an die Stelle des 'Tannhäusermarsches' treten wird. [. . .] Ich rechne auf Gartenkonzerte und Militäraufführungen und demzufolge bei dem Charakter des Stückes [. . .] auf eine sehr populäre Verbreitung"[87]. Der als

---

[87] Brief vom 11.2.1865, Schott-Briefe 80f.

Tannhäusermarsch bezeichnete Einzug der Gäste in die Wartburg aus dem zweiten Akt der Oper "Tannhäuser" war die bekannteste Komposition Wagners, eine Musik, die zündend und einprägsam ist, von einfacher Faktur. Die Annahme liegt nahe, daß Wagner in den Märschen um der erstreben Volkstümlichkeit willen auf differenziertere und komplexere kompositorische Arbeit und Struktur bewußt verzichtete. Besonders deutlich ist die Tendenz zur Popularität beim Kaisermarsch, für den Wagner, nach den Skizzen zu urteilen, zunächst den Schlußgesang erfand[88], um daraus dann das ganze Stück zu entwickeln. Von diesem Schlußgesang aber schrieb er an einen Kapellmeister: "Sie sehen in der Partitur, daß dieser Schlußsatz streng im Charakter eines Volksliedes gehalten ist, durchaus einfach und leicht zu merken"[89]. Als Wagner — nach seiner Darstellung in "Was ist deutsch?" — nach dem deutschen Sieg 1870 an zuständiger Stelle in Berlin eine Einzugsmusik für die siegreichen Truppen vorgeschlagen hatte, wohl im Herbst 1870, hatte er sich vorgestellt, daß "etwa beim Defilieren vor dem siegreichen Monarchen die im preußischen Heere so gutgepflegten Sängercorps mit einem volkstümlichen Gesange einfallen sollten"[90]. Bei der Veröffentlichung ließ er folgenden Text in die Partitur drucken: "Der dem Schlusse dieses Marsches beigegebene Volksgesang ist nur dann auszuführen, wenn durch eine geeignete Veranstaltung dem Publikum die Teilnahme an demselben ermöglicht werden kann. Die hierzu vorbereiteten Sänger dürften daher nicht auf der Bühne oder dem Konzertorchester als abgesonderter Chor auftreten, sondern sie

[88] Faksimile in: Barth, Mack, Voss, Abbildung 183.
[89] Brief an den GMD Wieprecht vom 15.3.1871, Heintz, Der Kaisermarsch von Richard Wagner, 122.
[90] SS X, 52.

müßten unter dem Publikum, welchem andrerseits der Text mit den Gesangsnoten zugestellt sein würde, zweckmäßig verteilt sein. Unter allen Umständen könnte aber nur bei besonderen festlichen Veranlassungen in der bezeichneten Weise an die Ausführung des Volksgesanges gedacht werden". Volkstümlichkeit eignete auch dem Lutherlied "Ein feste Burg ist unser Gott", das Wagner in dem Kaisermarsch integrierte.

Die erstrebte Breiten- und Massenwirkung hatte aber vor allem einen nationalen Aspekt. Die Märsche sollten Nationalgefühl und Nationalbewußtsein wecken und stärken. Vom Huldigungsmarsch schrieb Wagner an Ludwig II., er habe damit gerechnet, "daß dieses Stück zu einer eigentlichen Nationalmusik der neuen Bayerischen Zeit erhoben werden sollte"[91], und er war enttäuscht, daß er 1870 nicht den offiziellen Auftrag zur Komposition eines Siegesmarsches erhielt. Die Tatsache, daß sein Kaisermarsch nicht zur offiziellen Festmusik bei Siegesfeiern erklärt wurde, er vielmehr die Komposition für den Konzertsaal einrichten mußte, wohin sie seiner Ansicht nach nicht paßte[92], faßte er als Mißachtung seines Patriotismus auf. Es ist sehr gut möglich, daß er gehofft hatte, sein Kaiserlied aus dem Schluß des Marsches, das er selbst als "im Charakter eines Volksliedes gehalten" ansah, werde zur Nationalhymne des neuen deutschen Reiches avancieren. Daß Wagner Ambitionen in dieser Richtung hatte, beweist ein Brief aus dem Jahre 1866, in dem er einem deutschen Grafen, der ihn aufgerufen hatte, eine deutsche Nationalhymne zu schreiben, geantwortet hatte: "Auch mir schwebt der ernste deutsche Hymnus vor, der schlicht und feierlich

91 Brief vom 13.7.1871, Königsbriefe II, 326.
92 SS X, 52.

unsren Willen zur Tat begeistern möge: nicht Tage des Sinnens, sondern der Augenblick der Begeisterung, die Not der Entzückung, werden mir das Rechte eingeben"[93] Selbst dem amerikanischen Festmarsch fehlt der nationale Aspekt nicht. In der Rückübersetzung der für die North-American-Review geschriebenen Lebensskizze Wagners heißt es: "Mit Freudigkeit ging ich an die Komposition des 'amerikanischen Marsches', dem ich, mit Beziehung auf das mir vorschwebende Ideal des kolonisierenden germanischen Wesens in der Fremde, das Motto aus Goethes 'Faust' gab: 'Nur der erwirbt sich Freiheit wie das Leben, der täglich sie erobern muß'"[94]. Das Goethesche Motto gewinnt in diesem Zusammenhang einen militanten Unterton, der der Gattung des Marsches zwar allgemein eignet, insbesondere aber in den Wagnerschen Märschen angelegt ist. Das trifft vor allem auf den Kaisermarsch zu, von dem Wagner gesagt hat, er habe ihn "in der vollen Begeisterung der Siegeszeit geschaffen"[95]. Wie der Huldigungsmarsch sollte auch der Kaisermarsch ursprünglich "in erster Linie nur von großem Militär-Orchester exekutiert werden"[96]. Wagners Schriften, aber mehr noch Cosima Wagners Tagebücher beweisen, daß die Integration von "Ein feste Burg ist unser Gott" nicht bloß ein musikalisches Zitat mit einer Anspielung auf den protestantischen Glauben des deutschen Kaisers war, sondern die Bedeutung eines protestantischen Kampf- und Siegliedes gegen den Ultramontanismus hatte. Zu-

[93] Auktionskatalog Stargardt Nr. 570, 24./25.11.1964, S. 149.
[94] Richard Wagner's Lebens-Bericht. Deutsche Original-Ausgabe von "The work and mission of my life" by Richard Wagner, Leipzig 1884, S. 77.
[95] ebda., S. 66.
[96] Brief an den Verlag Peters vom 26.2.1871, Auktionskatalog Stargardt, 16./17.2.1971, S. 199.

gleich war es eine Huldigung an Luther, in dem Wagner in besonderem Maße das verkörpert sah, was er den "deutschen Geist" nannte. Auf andere, indessen auch musikalische Art manifestiert sich der militante Charakter des amerikanischen Festmarsches. Die thematisch behandelte Auftakt-Triole von der Unterquarte zum Grundton — durch eine Bemerkung Wagners in der Partitur den Ausführenden besonders ins Bewußtsein gerückt — ist eine von Wagner selbst so interpretierte Anspielung auf ein Thema der Ouvertüre zu Glucks "Iphigenie in Aulis"[97]. In seinem Aufsatz über diese Ouvertüre hat Wagner dieses Thema mit den Worten "ein Motiv der Gewalt, der gebieterischen, übermächtigen Forderung" charakterisiert[98].

Kaisermarsch und amerikanischer Festmarsch waren Auftragskompositionen, die zu schreiben Wagner sehr schwer gefallen ist. Dringend benötigtes Geld ließ ihn den Aufträgen nachkommen. Cosima notierte 1876: "R. macht sich an die Komposition für die Amerikaner (Eröffnung der Weltausstellung, 100jährige Feier der Befreiung); er hat 5000 Dollars gefordert, ob sie ihm von den Bestellenden bewilligt? Wie ich zu Tisch komme, spielt er ein sanftes wiegendes Thema, für den amerikanischen Pomp fiele ihm nichts ein"[99]. Drei Tage später liest man: "R. komponiert leider nicht mit Vergnügen"[100], und am 14.2. trug Cosima ein: "R. immer arbeitend, klagt darüber, daß er sich bei dieser Komposition gar

---

[97] August Lesimple, Persönliches über Richard Wagner, in: Richard Wagner-Jahrbuch, hg.v.J.Kürschner, Stuttgart 1886, S. 87 — Vgl. auch die im 1. Kapitel unter Anmerkung 51 genannte Quelle (S. 201).

[98] SS V, 118.

[99] CT 9.2.1876.

[100] CT 12.2.1876.

nichts vorstellen könne, beim Kaiser-Marsch sei es anders gewesen, selbst bei Rule Britannia, wo er sich ein großes Schiff gedacht, hier aber gar nichts außer den 5000 Dollars, welche er gefordert und welche er vielleicht nicht bekäme". Es ist wohl nicht zuviel behauptet, wenn man diese Dokumente als Zeugnisse von Wagners Einsicht in seine kompositorischen Schwierigkeiten bezeichnet. Probleme, die wohl mit der Tatsache zu tun hatten, daß Instrumentalmusik zu komponieren war.

* * *

In den Monaten April und Mai des Jahres 1868 trug sich Wagner erneut mit Plänen zu einer Instrumentalkomposition. In den Intervallen zwischen den Proben zur Uraufführung der im Herbst 1867 vollendeten "Meistersinger von Nürnberg", die Wagner u.a. zur Niederschrift seiner Erinnerungen an den Sänger und ersten Tristan-Darsteller Ludwig Schnorr von Carolsfeld und des Vorwortes zur zweiten Auflage von "Oper und Drama" nutzte, notierte er einige Takte in as-moll, die er in der zweiten, auf 13 Takte ausgedehnten Fassung mit "Romeo u. Julie" überschrieb[101]. Was es mit diesen Entwürfen auf sich hat, wissen wir nicht. Deutlich ist nur — das beweisen die zwei Niederschriften —, daß die Beschäftigung mit dem Gegenstand nicht flüchtig war. Das "Romeo und Julia"-Sujet hatte des öfteren Wagners Aufmerksamkeit auf sich gezogen, und auch später gehörte das Shakespearsche Trauerspiel zur ständigen Lektüre in Wahnfried. Schon 1835 hatte Wagner eine Ouvertüre zu Romeo und Julia komponieren wollen (s.o.), und 1839

---

[101] BB 175 — Faksimile in: Westernhagen 1956, gegenüber 57.

hatte in Paris Berlioz' dramatische Symphonie seinen Ehrgeiz herausgefordert. Möglich also, daß er einem alten Wunsch nachhing, als er sein Romeo und Julia-Thema schrieb. Wahrscheinlich aber haben wir es mit einem autobiographischen Bezug zu tun; denn Wagner notierte die zweite Fassung, die erst den Titel "Romeo u. Julie " trägt, im sog. Braunen Buch, einem Tagebuch, das Wagner für Cosima führte. Näheres ist jedoch auch darüber nicht bekannt.

Aus einer Tagebucheintragung Cosimas aus dem Jahre 1873 wissen wir, daß die "Romeo u. Julie"-Komposition ein Trauermarsch werden sollte[102]. Noch 1873 dachte Wagner daran, diesen Trauermarsch auszuführen. Mit diesem Plan vermischte sich ein anderer, der 1870 aktuell wurde. Wagner wollte eine Trauermusik für die im deutsch-französischen Krieg Gefallenen schreiben, die dann bei der offiziellen Totenehrung durch den Kaiser aufgeführt werden sollte[103]. Wagners Vorschlag wurde jedoch abgelehnt, und so blieb es bei dem Plan, der jedoch noch nach Jahren wiederkehrte. Im Oktober 1876 schrieb Cosima in ihr Tagebuch: "Er dachte neulich wieder an die Trauersymphonie für die im Krieg Gefallenen, er würde sein Thema zu Romeo und Julie dazu gebrauchen. Er sah in eine Halle die Särge gebracht, immer mehr und mehr, so daß der Schmerz des einzelnen im allgemeinen Leiden sich immer mehr verlöre. Darauf erst der Triumphgesang"[104]. Das Schema läßt an Berlioz' "Symphonie funèbre et triomphale" denken, ein von Wagner besonders geschätztes Werk, und die Bezeichung "Trauersymphonie" veranschaulicht, daß Wagner keine

[102] CT 3.5.1873.
[103] CT 4.9.1870.
[104] CT 26.10.1876.

Gelegenheitskomposition, kein Nebenwerk im Sinn hatte. Bemerkenswert übrigens, daß er ein Jahr später seine Meinung über die Anlage der Komposition änderte und auf eine "Apotheose am Schluß" verzichten wollte[105].

***

Ende 1870 entstand in Tribschen jene Komposition, die acht Jahre später unter dem Titel "Siegfried-Idyll" publiziert worden ist und heute wohl die einzige Instrumentalkomposition Wagners darstellt, die allgemein anerkannt ist. Das Werk ist eine Retrospektive auf die Zeit, in der Wagners Sohn Siegfried geboren wurde (6.6.1869) und Wagner selbst die Schlußszene des "Siegfried" komponierte. Mit Ausnahme des aber ebenfalls von Wagner geschaffenen Kinderliedes "Schlaf, Kindchen, schlafe", das bereits an Silvester 1868 ins Braune Buch eingetragen worden war[106], stammen alle Themen aus der Schlußszene des dritten "Siegfried"-Aktes. Sie stellen freilich nur den äußeren Bezug her. Was sie für Cosima und Richard Wagner bedeuteten und assoziierten, entzieht sich unserer Kenntnis. Etwas von diesem privaten intimen Charakter gibt der Titel der Widmungsreinschrift der Partitur wieder, der lautet: "Tribschener Idyll / mit Fidi-Vogelgesang und Orange-Sonnenaufgang, als / Symphonischer Geburtstagsgruß / Seiner Cosima / dargebracht / von / Ihrem Richard"[107]. Des "vertrauten Charakters" wegen suchte Cosima öffentliche Aufführungen und schließlich auch die Publikation zu verhindern, die

---

[105] CT 2.12.1877.
[106] BB 203.
[107] Faksimile in: Barth, Mack, Voss, Abbildung 173.

dann aber doch aus finanziellen Erwägungen heraus 1878 vorgenommen wurde. Man darf darum annehmen, daß der Titel "Siegfried-Idyll", der nicht mehr ist als ein Veröffentlichungstitel, durch den Bezug zum gleichnamigen Musikdrama dem Verständnis beim Publikum dienen sollte.

Wagners Ambition galt auch mit diesem Werk der Symphonie. Das klingt an im zitierten Widmungstitel und wird bestätigt durch die erste Notenseite des Widmungsexemplars, die mit "Symphonie" überschrieben ist[108]. Daß dem Werk die Sonatensatzform zugrundeliegt, ist unverkennbar. Das erwähnte Kinderlied bildet den Seitensatz (Takt 91ff). Andererseits tendiert das Stück durch seine Tempo- und Taktwechsel — darin der Wesendonck-Sonate vergleichbar — zur Mehrsätzigkeit. An die Stelle der traditionellen Durchführung treten Abschnitte mit neuen Themen. Zur symphonischen Ambition gehört auch die Orchesterbesetzung, die zwar klein, aber doch die eines Orchesters ist und nicht die einer Kammermusikkomposition. Der Gedanke, daß das Werk mit kleinem Orchester oder gar mit solistischer Streicherbesetzung aufzuführen sei, leitet sich einzig aus der Tatsache ab, daß Wagner bei der ersten Aufführung in Tribschen mit 2 ersten und 2 zweiten Violinen, 2 Bratschen, 1 Violoncello und 1 Kontrabaß zuzüglich Bläsern musizierte. Das aber geschah allein deshalb, weil im Tribschener Treppenhaus, wo diese Aufführung stattfinden mußte, kein Platz war für ein größeres Orchester. Im Dezember 1871 nutzte Wagner anläßlich eines von ihm dirigierten Konzerts in Mannheim die Gelegenheit, ein Symphonieorchester zu seiner Verfügung zu haben, dazu, Cosima

---

[108] ebda., Abbildung 174.

"eine Geburtstags-Symphonie zu machen"[109], womit er eine Aufführung des Siegfried-Idylls meinte. Wagner forderte für diese Aufführung folgende Streicherbesetzung: 6 bis 8 I.Violinen, 7 bis 8 II.Violinen, 4 Bratschen, 4 Violoncelli, 2 bis 3 Kontrabässe[110]. Daß ein Orchester dieses Umfangs Wagners Intention entsprach und nicht die kleine Besetzung der Tribschener Uraufführung, ist anzunehmen. Mit vollem Orchester führte Wagner das Werk auch — zusammen mit der Faust-Ouvertüre und Liszts "Festklängen" — im März 1877 in Meiningen in einem Hofkonzert auf[111].

Welcher Ehrgeiz hinter der so bescheiden als Idyll titulierten Komposition stand, erhellt daraus, daß Wagner 1874 erwog, ob er sie nicht für großes Orchester bearbeiten solle[112]. Mag sich Wagners Ausspruch, daß das Idyll seine liebste Komposition sei[113], mehr auf den biographischen Hintergrund als auf den künstlerischen Rang beziehen, so läßt die Bemerkung in einem Brief an Ludwig II., er habe der Veröffentlichung zugestimmt, da er "auf dieses Stück ein wenig eitel" sei[114], Wagners symphonischen Ehrgeiz sich deutlich artikulieren. In einem Brief an den Wagnerforscher Wilhelm Tappert beschrieb Cosima Wagner das Idyll als "langen, sehr ausgeführten symphonischen Satz"[115], und Friedrich Nietzsche gegenüber rühmte sie das Werk sogar als "Die Vollendung des-

[109] CT 22.11.1871.
[110] Briefe Richard Wagners an Emil Heckel, hg.v.K.Heckel, Berlin 1899, S. 24.
[111] CT 10.3.1877.
[112] CT 14.1.1874.
[113] CT 10.1.1878.
[114] Brief vom 10.2.1878, Königsbriefe III, 117.
[115] undatiert, vermutlich Herbst 1877, Auktionskatalog Stargardt Nr. 548, 17.5.1960, S. 138.

sen, was ihr Vater [Franz Liszt] unter Sinfonischer Dichtung verstanden habe"[116]. Zwar sollte man Cosimas Aussprüche nicht überbewerten, aber sie spiegeln gewiß auch Ansichten und Meinungen Wagners wieder, im gegenwärtigen Falle zumindest soviel, daß Wagner mit dem Siegfried-Idyll kompositorischen Ehrgeiz verband und ein bedeutendes Instrumentalwerk, eine "Symphonie", schaffen wollte.

Angesichts der Überschrift "Symphonie" über einer Komposition, die aufgrund ihres Charakters und ihrer Kompositionsstruktur (Orgelpunkte, liegende Klänge, pendelnder Wechsel zwischen Akkorden, pentatonisch-diatonisch-kreisende Motive) zurecht den Namen "Idyll" trägt, ist man geneigt, eine Verbindung zur Tradition des Pastorale zu ziehen, zu Stücken wie dem Einleitungssatz der zweiten Kantate in Bachs Weihnachtsoratorium, der bekanntlich mit "Sinfonia" überschrieben ist. Hier mag ein Zusammenhang bestehen, über den sich im übrigen aber nichts sagen läßt. Deutlich ist die Verbindung zum Musikdrama, genauer: zum dritten Akt des "Siegfried", dessen nichtvokales Gegenstück das Siegfried-Idyll ist. Über der Arbeit an der zweiten Szene des Vorspiels der "Götterdämmerung" und beim Vergleich des Charakters dieser Szene mit der Schlußszene des "Siegfried" nannte Wagner den Siegfried-Schluß ein "heroisches Idyll"[117] Auch das Siegfried-Idyll, das in seiner musikalischen Substanz jener Szene so sehr verwandt ist, wäre demnach ein "heroisches Idyll", und nicht nur eine "Sinfonia" aus der zweiten Hälfte des 19. Jahrhunderts. Auf das heroi-

[116] Friedrich Nietzsche an Richard Wagner, 25.7.1872, in: Archiv für Musikwissenschaft XXVII (1970), S. 178.
[117] CT 11.12.1869.

sche Idyll spielt im übrigen auch das Widmungsgedicht an Cosima an, das Wagner der Publikation des Siegfried-Idylls beigab.

***

Daß Wagner in seinen letzten Lebensjahren Symphonien komponieren wollte, ist bekannt[118]. Indessen dachte er auch mehrfach an andere Gattungen. 1871, über der Komposition der "Götterdämmerung" soll er ausgerufen haben: "Idylle, Quartette, das möchte ich gern noch machen"[119]. Im Unmut über die langwierige Arbeit an den Musikdramen erschienen Wagner die anderen Gattungen, nicht zuletzt wahrscheinlich ihres sehr viel geringeren Umfanges wegen, als leicht, spielerisch zu bewältigende Tätigkeit, ein Gesichtspunkt, der bei Wagners Äußerungen zu bedenken ist.[120] Als er am "Parsifal" komponierte, klagte er: "Könnte ich nur so eine A-dur-Symphonie schreiben, ich würde nicht die schönen Einfälle von Beethoven haben, aber die Arbeit wäre nichts im Vergleich zu der meinigen"[121]. Aber die Gedanken an die Komposition von Instrumentalmusik waren meist ernsthafterer Natur, auch wenn es meist nicht einmal zur Notation von Themen und Motiven kam. Eine Eintragung im Tagebuch Cosimas wie "zu Fuß nach Haus, herrlicher Vogelruf, auf welchen R. gleich einen Symphoniesatz baut"[122] sollte man als das nehmen, was sie sehr wahrscheinlich ist, nämlich eine Übertreibung; soviel indessen

[118] vgl. dazu Voss, Richard Wagner und die Symphonie.
[119] CT 28.7.1871.
[120] vgl. die unter Anmerkung 118 genannte Publikation.
[121] CT 11.12.1881.
[122] CT 10.7.1872.

beweist sie: Wagner ging mit dem Gedanken an Symphoniesätze um. Am 24.1.1874 notierte Cosima: "Er kam heute auf den Gedanken, Schott sechs Ouvertüren vorzuschlagen, die er vom nächsten Jahre an komponieren wolle." Der Einfachheit halber folge eine Liste der wichtigsten Tagebucheintragungen Cosimas, die von Wagners Absicht, Instrumentalkompositionen zu schreiben, sprechen:

3.1.1875: "Gegen Mittag schon treffe ich ihn an, wie er über der Ouvertüre sinnt".

8.10.1877: "Abends spielt er mir ein herrliches Thema zu einer Symphonie und sagt, er habe so viele solcher Themen, jeden Augenblick fiele ihm etwas ein . . ."

8.2.1878: "R. entwirft auch den Kanon zu einer Haus-Symphonie".

22.2.1878: "R. spricht von einer Symphonie, die er Fidi [Siegfried] widmen will, ein Thema dazu sei ihm wieder heute eingefallen . . ."

17.10.1878: "R. sagte mir gestern, daß er am liebsten Symphonien schreiben würde, heitere, freundliche, in welchen er sich gar nicht hochversteigen würde, er fühle aber förmlich das Bedürfnis dieses Element in ihm sich ausgießen zu lassen".

11.7.1880: "Wenn ich meine 'Religion' in Ordnung habe (die Schrift über Religion und Kunst), dann verdiene ich nur noch Geld, sagt er, und dann schreibe ich nichts wie Symphonien, darauf freue ich mich".

16.4.1881: "R. sagt mir: 'Ich werde die christlichen Feste komponieren, das werden meine Symphonien sein".

12.8.1881: "Wiederum bemerkt R., daß er nach dem Parsifal nur mehr Symphonien schreiben werde".

11.6.1882: "Bei der Heimkehr aus dem Garten hat er ein symphonisches Thema aufgesetzt . . ."
17.12.1882: "R. spricht [. . .] zu meinem Vater: 'Wenn wir Symphonien schreiben, Franz, nur keine Gegenüberstellungen von Themen . . ."
13.1.1883: "er sagte, seine Symphonien würden eine Melodie in einem Satz ausspinnen . . ."

Diesen Aussprüchen und Mitteilungen entspricht, daß im Wahnfried-Archiv in Bayreuth zahlreiche Zettel und Blätter mit Themen- und Motiv-Skizzen aus den letzten zehn Jahren von Wagners Leben und Schaffen erhalten sind, die zwar sämtlich — mit einer Ausnahme (Notenbeispiel 3) — ohne Hinweis darauf sind, daß es sich um Symphoniethemen handelt, von denen aber dennoch anzunehmen ist, daß unter ihnen das eine oder andere Thema zu einer der geplanten Symphonien sich befindet. Curt von Westernhagen hat 1956 ein mit "Adagio" überschriebenes Thema aus dem Jahre 1882 veröffentlicht[123], das in diesen Zusammenhang gehören könnte.

So wie Wagner über Pläne und Motivskizzen nicht hinauskam, so blieben auch die Versuche, ältere Kompositionen zu bearbeiten und für Aufführungen zu präparieren, in Anfängen stecken. Das gilt für die C-dur-Konzert-Ouvertüre[124] ebenso wie für die Symphonie, deren langsame Einleitung und zweiten Satz Wagner zwischen 1878 und 1882 nicht unwesentlich verändert hat. Das ging in der langsamen Einleitung bis zur Einführung eines neuen Motivs (fallende Oktave in Hörnern und Trompeten in Takt 10—18 und 38—41) und führte im Scherzo

---

[123] Westernhagen 1956, gegenüber 448.
[124] vgl. dazu Richard Wagner, Sämtliche Werke, Band 18, I, hg.v. E. Voss, Mainz 1973, Kritischer Bericht.

zu einem Vorspann von 4 Takten nach dem Modell des Scherzos von Beethovens IX. Symphonie[125]. Ist anzunehmen, daß Wagner die C-dur-Ouvertüre lediglich deshalb zu überarbeiten begann, weil er Schulden bei seinem Verleger hatte, die durch Kompositionen getilgt werden sollten — die Publikation kam jedoch nicht zustande, da Schott das Siegfried-Idyll lieber war als die Ouvertüre —, so gehört die Bearbeitung der Symphonie in den Rahmen von Wagners symphonischem Ehrgeiz. 1872 bedauerte es Wagner laut Cosimas Tagebuch, die Symphonie nicht mehr zu haben, "die er gern wieder hätte, nur um zu zeigen, wie er das Metier gut gekonnt"[126]. Als dann im Herbst 1877 die Orchesterstimmen der Symphonie entdeckt wurden, ließ Wagner sich sogleich eine Partitur zusammenstellen. Er schrieb darüber an Ludwig II.: "Nun habe ich jetzt einen jungen Musiker bei mir, welchen ich zu meinem Zukunftskapellmeister erziehe; dieser muß die wiedergefundenen Stimmen in Partitur setzen, und auf diese Weise werde ich jetzt von Woche zu Woche durch einen neu entdeckten Satz einer großen Symphonie überrascht, welche ich vor nun über vierzig Jahren geschrieben, und damals auch in Leipzig aufgeführt habe. Bei aller meiner Strenge gegen meine früheren Arbeiten, gegen deren weiteres Bekanntgeben ich mich durchaus wehre, muß ich nun aber doch finden, daß gerade diese Symphonie meiner ganz würdig ist"[127]. Dieser Einschätzung korrespondiert die geradezu zelebrierte Wiederaufführung der Symphonie zu Weihnachten 1882 im Teatro La Fenice in Venedig. Diese Aufführung fand zwar nicht öffentlich statt —

[125] ebda.
[126] CT 15.6.1872.
[127] Brief vom 1.4.1878, Königsbriefe III, 120f.

indessen vor einer stattlichen Zahl von renommierten Persönlichkeiten wie Franz Liszt und dem Mailänder Musikkritiker Filippo Filippi —, Wagner gab ihr aber nachträglich durch seinen "Offenen Brief" an den Verleger des "Musikalischen Wochenblatts" E.W.Fritzsch offiziellen Charakter[128].

Daß es Wagner mit dem Schreiben von Symphonien ernst war, wird daran sichtbar, daß er sich mehrfach über die Eigenart und den Charakter dieser neuen Stücke geäußert hat. Die im Januar 1874 dem Schott-Verlag angebotenen "größeren Orchesterwerke"[129] sollten folgende Titel haben: "Lohengrins Meerfahrt, Tristan als Held, Romeo und Julie Grabesgesang"[130] bzw. "Lohengrins Fahrt, Tristan, Epilog zu Romeo und Julie, Brünnhild, Wieland der Schmied"[131]. In einem um die gleiche Zeit an Schott gerichteten Brief nannte Wagner als Modell für die neuen Orchesterwerke seine Faust-Ouvertüre[132]. Im Dezember notierte Cosima das Folgende: "Er frug mich gestern, ob ich wüßte, wie er seine neuen Orchesterwerke nennen würde: Schwankende Gestalten, er würde die ersten Verse der 'Zueignung' als Motto davorsetzen"[133]. Vielleicht muß man die Zeile "Ihr naht euch wieder, schwankende Gestalten" auf die mit den zitierten Überschriften genannten Sujets beziehen, die sämtlich altvertraute Stoffe für Wagner waren. Vielleicht aber wollte Wagner auch andeuten, daß sein alter symphonischer Ehrgeiz sich wieder meldete.

[128] SS X, 309—315.
[129] Brief vom 23.1.1874, Schott-Briefe 165.
[130] CT 24.1.1874.
[131] CT 10.—16.2.1874.
[132] Brief vom 31.1.1874, Schott-Briefe 169.
[133] CT 14.12.1874.

Lassen die zitierten Überschriften den Schluß zu, daß Symphonische Dichtungen oder doch etwas ihnen vergleichbares komponiert werden sollte, so geben andere Äußerungen Wagners ein ganz anderes Bild. Im Spätsommer 1878 sprach Wagner — nach Glasenapp — von seinem Wunsch, Symphonien zu komponieren: "'Symphonische Dialoge' würde er diese Symphonien nennen, denn auf die vier Sätze im alten Stil könne er sich nicht mehr einlassen. Aber ein Thema und ein Gegenthema müsse man haben, und sie miteinander reden lassen; die ganze Symphonie von Brahms habe das nicht"[134]. Das Plädoyer für die Einsätzigkeit kehrte wieder. Am 1.12. 1878 meinte Wagner: "Ich würde zur alten Form der Symphonie zurückkehren, in einem Teil, mit einem Andante als Mittelsatz; die viersätzige Symphonie kann man nach Beethoven nicht mehr schreiben, alles scheint ihm dann nachgemacht, z.B. wenn man so ein großes Scherzo schreibt"[135]. Als er 1881 einmal über die Schwierigkeit, schlüssige Finalsätze zu schreiben, sprach, sagte er: "Die letzten Sätze sind die Klippe, ich werde mich hüten, ich schreibe nur einsätzige Symphonien"[136]. An dem Gedanken der Einsätzigkeit hielt Wagner fest. Schon die Wesendonck-Sonate und das Siegfried-Idyll waren einsätzige Kompositionen mit symphonischer Ambition. Tempowechsel wollte Wagner, wie sein Hinweis auf das "Andante als Mittelsatz" beweist, nicht ausschließen. Von dem Gedanken an den "Symphonischen Dialog", an Thema und Gegenthema, die "miteinander reden", nahm Wagner indessen Abstand. Als er die erwähnte Aufführung seiner C-dur-Symphonie in Venedig vorbereitete und mit

[134] Glasenapp VI, 137.
[135] CT 1.12.1878.
[136] CT 17.11.1881.

Franz Liszt die Komposition besprach, sagte er: "Wenn wir Symphonien schreiben, Franz, nur keine Gegenüberstellung von Themen, das hat Beethoven erschöpft, sondern einen melodischen Faden spinnen, bis er ausgesponnen ist; nur nichts vom Drama"[137]. Einige Wochen später knüpfte er an diesen Gedanken an; "er sagte", berichtete Cosima, "seine Symphonien würden eine Melodie in einem Satz ausspinnen"[138].

Es ist unverkennbar, daß bei all diesen Plänen die Symphonien Beethovens den Maßstab bildeten. Ebenso deutlich ist aber auch, daß Wagner zunehmend davon zurücktrat, mit ihnen zu konkurrieren. Er wollte auf die Viersätzigkeit verzichten, auf den charakteristischen Themen-Dualismus und – wenn ich das Spinnen eines melodischen Fadens richtig verstehe – auch auf die traditionellen Formteile Durchführung – samt Durchführungstechnik – und Reprise. Man hat sich Wagners einsätzige, monothematische Symphonien vielleicht vorzustellen als "Gewebe", das im Unterschied zu den Musikdramen nicht aus "Grundthemen"[139] besteht, sondern aus Ableitungen und Entfaltungen eines einzigen Themas, einer einzigen Melodie. Da jedoch Wagners Begriff der Melodie vage und vieldeutig ist, muß diese Interpretation mit einem Fragezeichen versehen werden. Eines aber scheint festzustehen: Wagner ging es um eine spezifisch musikalische Gestaltung in diesen neuen Symphonien. Darauf weist insbesondere der Wille, das Drama außer Betracht zu lassen.

***

[137] CT 17.12.1882.
[138] CT 13.1.1883.
[139] vgl. Kapitel 4.

So selbstbewußt und energisch Wagner sein musik-dramatisches Schaffen durchgesetzt hat, so vorsichtig und unsicher, ja bescheiden verhielt er sich als Instrumentalkomponist. Das zeigen allein schon die Titel, unter denen die wichtigsten und ambitioniertesten Werke veröffentlicht worden sind. Durch die Wahl des unbestimmten Artikels in Überschriften wie "Eine Faust-Ouvertüre" und "Eine Sonate für das Album von Frau M.W." wird bewußt der künstlerische Anspruch heruntergeschraubt. Die Titel betreiben understatement. Als habe Wagner seinen Kompositionen nicht getraut, stellte er sie hin als herausgegriffen aus einer großen Zahl von Möglichkeiten, neben denen es viele andere gleichwertige gebe, beliebig austauschbar gegen andere "Faust-Ouvertüren" und andere "Sonaten für das Album von Frau M.W.". In der Entwicklung vom ersten Satz der "Faust-Symphonie" über die "Ouvertüre zu Goethes Faust I. Teil" zu "Eine Faust-Ouvertüre" liegt unverkennbar die Zurücknahme eines Anspruchs. Obwohl die Sonate für Mathilde Wesendonck keine Gelegenheitskomposition war, sollte bei der Publikation der Titel so eingerichtet werden, "daß man gleich erkenne, daß es eine Gelegenheits-Komposition sei"[140]. Wagner scheint sich auch nicht getraut zu haben, das Siegfried-Idyll als "Symphonie" zu veröffentlichen. In der Stichvorlage strich er die Überschrift, die der Kopist aus dem Autograph übernommen hatte, aus. "Siegfried-Idyll" war freilich ein sehr viel anspruchsloserer Titel und setzte Wagner nicht der Kritik der Fachwelt aus.

[140] Cosima Wagner an den Schott-Verlag, 17.12.1877, Schott-Briefe 218.

Wagner hat, besonders in "Mein Leben", abschätzig und mit Ironie sein frühes Instrumentalschaffen geschildert. Er tat es von der Warte des "Meisters" aus und gewiß auch in richtiger Einschätzung des Werts der Kompositionen. Die Vermutung aber, daß er es auch tat, um von dem Anspruch abzulenken, mit dem er sie geschrieben hatte, wird durch den Bericht über die Entstehung der B-dur-Klaviersonate nachhaltig gestützt. Wagner stellte es so dar, als habe sein Lehrer Weinlig eine Sonate verlangt, aufgebaut auf "den nüchternsten harmonischen und thematischen Verhältnissen", als Modell "eine der kindlichsten Pleyelschen Sonaten" empfohlen und ihn schließlich für seine "Enthaltsamkeit" mit der Drucklegung des "dürftigen Werkes" belohnt[141]. Der Versuch, die Komposition abzuwerten, ist unübersehbar, und er fiel besonders drastisch aus, weil die Sonate 1862 Gegenstand eines Rätsels in der "Deutschen Musik-Zeitung" in Wien gewesen und im gleichen Jahr von Breitkopf & Härtel neuaufgelegt worden war. Aufschlußreich ist, daß Wagner das Verhalten des Verlages, der seine Neuauflage ohne Rücksprache mit ihm veranstaltet hatte, eine "Indiskretion" nannte[142], so als sei ein Geheimnis preisgegeben, eine Intimität verraten worden. Aufschlußreicher ist jedoch noch etwas anderes. Wagners Hinweis auf die "kindlichste Pleyelsche Sonate" als Modell seiner Komposition ist nämlich eine Irreführung. Der Vergleich der B-dur-Sonate mit Sonaten Pleyels ergibt, daß für kaum eine Eigentümlichkeit Pleyel das Vorbild gewesen sein kann. Die Unterschiede betreffen von der Satzzahl und dem Unfang über die formale Anlage der einzelnen Sätze bis hin zur Klaviertechnik nahezu alles, was sich

---

[141] ML 71.
[142] ebda.

vergleichen läßt. Der Name Pleyel hatte die Funktion, von jenem Namen abzulenken, der zu nennen gewesen wäre: Beethoven. Dessen Sonaten waren in Wahrheit das Vorbild. Während aber der Hinweis auf sie die Kritik herausgefordert hätte, entzog die Nennung des Namens Pleyel den Komponisten Wagner gleichsam der Verantwortung, da Pleyel als Vielschreiber und Modekomponist ohne Niveau galt. Ähnlich wie in bezug auf die B-dur-Sonate hat Wagner über die Columbus-Ouvertüre geschrieben, über "Rule Britannia" und den Plan einer Komposition mit dem Titel "Napoléon".

Kluge Einsicht in den Mangel an künstlerischer Qualität muß man es nennen, daß Wagner der Veröffentlichung von Werken wie der Klaviersonate A-dur nicht zustimmte, daß er ungehalten war über die Wiederauflage der 1832 von Breitkopf & Härtel gedruckten B-dur-Sonate op. 1. Schon im Falle der C-dur-Symphonie aber war dieser Einsicht Unsicherheit im Urteil und Scheu vor der Kritik beigemischt. Wie ist es zu verstehen, daß Wagner einerseits dieses Werk für ganz seiner würdig hielt (s.o.), es andererseits aber nicht für Aufführungen und Veröffentlichung freigeben wollte?[143] In diesen Zusammenhang gehört auch die eigenartige Tatsache, daß Wagner, als er nach dem Erfolg der Aufführung der Faust-Ouvertüre unter Liszts Leitung deren Publikation erwog, an Liszt schrieb: "nur wünschte ich, daß mir deshalb gehörig zugeredet würde, aus eigenem Antriebe unternehme ich so etwas nicht gern"[144]. Er brauchte und verlangte die Anerkennung des renommierten Fachkollegen, weil er

---

[143] vgl. Richard Wagner, Sämtliche Werke, Band 18, I, hg.v.E. Voss, Mainz 1973, S. XVIII.
[144] Brief vom 29.5.1852, Wagner-Liszt I, 163.

fürchtete, sich einer Blamage auszusetzen. Wagners Miß-
trauen gegenüber seiner wohl ehrgeizigsten Instrumentalkomposition ist nur von dem hohen Anspruch her zu begreifen, den er damit stellte, und der Furcht, diesen Anspruch mit der Komposition selbst nicht einlösen zu
können. Hätte es sich genuin um Nebenwerke gehandelt,
um anspruchslose Gelegenheitskompositionen, so hätte
sich Wagner mit Sicherheit seine Skrupel erspart.

Charakteristische Merkmale der Instrumental-kompositionen — Wagners literarisch-dramatisches Verständnis der Instrumentalmusik

Wagners Neigung zur Instrumentalmusik ging erstaunlicherweise einher mit der Tatsache, daß er kein ausgebildeter Instrumentalist war. Wagner konnte nur durchschnittlich Klavier spielen. Da er erst mit etwa zwölf Jahren einen regelmäßigen Klavierunterricht erhielt, der noch dazu nach seiner eigenen Erinnerung "sehr dürftig"[1] gewesen ist, bestand gar nicht die Möglichkeit, ein tüchtiger Pianist oder gar ein Virtuose zu werden. Wagner war freilich auch nicht geneigt, sich mit Fingerübungen abzugeben. Während der nur wenig ältere Robert Schumann seine musikalische Laufbahn selbstverständlich als Klavierspieler begann, erklärte Wagner schon als Schüler seinen Familienangehörigen, die ihn, da er auf seiner Entscheidung für die Musik beharrte, zu Johann Nepomuk Hummel nach Weimar schicken wollten, für ihn bedeute Musik "Komponieren" und nicht "ein Instrument spielen"[2]. Den üblichen Weg vom Instrumentalisten über den Kapellmeister zum Komponisten wollte Wagner nicht gehen. Es ist darum bezeichnend, daß eine

[1]   ML 39.
[2]   ML 46.

der gewissenhaftesten Arbeiten des jungen Wagner, die dem Klavier galt, sein Klavierauszug von Beethovens IX. Symphonie war. Betrachtete etwa Schumann das Klavier als ein Instrument von unverwechselbarem Eigencharakter, so war es für Wagner wenig mehr als das Demonstrationsmittel für Musik schlechthin, für Musik aller Besetzungen. Das Klavier war ihm nötig, um Kompositionen kennenzulernen, oder um sich beim Komponieren ein Bild vom Komponierten zu machen, schließlich auch um die großen Werke der Musik sich, aber auch anderen in den Grundzügen vorführen zu können, wenn Orchester oder Streichquartett nicht zur Verfügung standen. So ist nicht verwunderlich, daß Wagner zwischen Orchester- und Klaviermusik kaum einen Unterschied machte. Eine qualitative Differenz zwischen den Gattungen scheint es für ihn nicht gegeben zu haben. Dem enspricht, daß Wagner — wie erwähnt — eine Sonate für Klavier zu vier Händen, da sie ihm und seiner Schwester Ottilie "gelungen"[3] schien, sogleich für Orchester instrumentierte. Auch die Sonate in A-dur aus dem Jahre 1832 sollte augenscheinlich instrumentiert werden; denn im Autograph findet sich einmal die Eintragung "Tutti", ein anderes Mal "Viol". Aus der gleichen Sonate übernahm Wagner 1834 zwei Themen in die Fragment gebliebene Symphonie in E-dur; und die Hauptthemen der Fantasie in fis-moll kehren in der Oper "Die Feen" wieder. Aber auch später scheint Wagner gleichgültig gewesen zu sein gegen die Art der Ausführung seiner Klavierkompositionen. Wie berichtet wurde das Albumblatt in C-dur (für die Fürstin Metternich) 1873 zur Feier von Wagners 60. Geburtstag wie selbstverständlich in der Bearbeitung für Violine und kleines Orchester von August Wilhelmj aufgeführt. Wag-

[3] SB, 81.

ner akzeptierte das, weil die Albumblätter nicht Klavierstücke im strengen Sinne waren, sondern Kompositionen, die zwar für Klavier als das verbreitetste Musikinstrument der bürgerlichen Musikkultur notiert waren, aber ebenso in anderer Besetzung gespielt werden konnten. Es ist daher gewiß kein Zufall, daß die Sonate für Mathilde Wesendonck kurze Zeit nach ihrer Veröffentlichung in einer allerdings nicht von Wagner stammenden Bearbeitung für Orchester erschien. Diese Verkehrung des üblichen Publikationsverfahrens im 19. Jahrhundert — nämlich Orchester- und Kammermusikwerke für Klavier oder zumindest kleinere Besetzungen zu arrangieren — ist symptomatisch für Wagners Klaviermusik, die meist nicht klavieristisch geprägt ist, sondern über weite Strecken wie die Particellnotation zu Orchesterwerken anmutet, deren Besetzung unbekannt und daher beliebig ist.

Wagner brauchte das Instrument nicht als Medium der Selbstdarstellung, wie die meisten anderen Komponisten, die stets zugleich oder in erster Linie Virtuosen waren. Wagner komponierte Sonaten, um sich als Komponist zu üben, nicht um pianistische Fähigkeiten auszuspielen. Zudem — das gilt besonders für den jungen Komponisten — boten Sonaten und Stücke für Klavier die Möglichkeit, die Kompositionen sogleich in praxi zu erproben, eine Möglichkeit,die es für Orchesterwerke oder gar Opern nicht gab. Von daher ist leicht begreiflich, daß Wagner klaviertechnisch meist nicht über das hinausging, was er selbst zu realisieren vermochte.

***

Von den erhaltenen Instrumentalkompositionen Wagners sind nur drei mehrsätzig, die Klaviersonaten in B- und A-dur sowie die Symphonie in C-dur. Indessen sollten auch die zweite Symphonie, aus dem Jahre 1834, und die Faust-Symphonie von 1839/40 mehrere Sätze haben. Man kann annehmen, daß auch ihnen die klassische Satzfolge Allegro-Adagio-Menuett bzw. Scherzo-Finale, die die drei genannten Werke kennzeichnet, zugrundeliegen sollte. Nur in der A-dur-Sonate wich Wagner ein wenig von ihr ab, indem er an die Stelle des Menuetts bzw. Scherzos eine Fuge mit Maestoso-Einleitung setzte. Daß Mehrsätzigkeit im übrigen keine Rolle gespielt hat, hängt zusammen mit Wagners problematischem Verhältnis zu den traditionellen Formen und Gattungen der Musik, über das im folgenden Kapitel noch etwas gesagt werden wird, hat aber auch zu tun mit Wagners Tendenz, konstitutive Elemente der Mehrsätzigkeit wie Tempo- und Taktwechsel — von neuer Thematik und Motivik ganz zu schweigen — in die Einsätzigkeit zu integrieren. Anschauliche Beispiele dafür sind die Wesendonck-Sonate und das Siegfried-Idyll, während die Verbindung von Ein- und Mehrsätzigkeit in der fis-moll-Fantasie durchaus gattungskonform war. Es war kein Zufall, daß die Symphonien, die Wagner in den späten Bayreuther Jahren komponieren wollte, einsätzig sein sollten.

Wie die Satzfolge stimmen in den mehrsätzigen Werken auch die einzelnen Sätze ihrer Form nach mit den traditionellen Mustern überein. Auffällig ist dabei die Bevorzugung der Sonatensatzform. Nicht nur die Kopfsätze werden von ihr bestimmt, sondern auch die Finali und in den beiden Klaviersonaten die langsamen Sätze, wenn auch in der A-dur-Sonate modifiziert und fast verdeckt. Im übrigen ist die Sonatensatzform konstitutiv für fast alle größeren Instrumentalkompositionen Wagners.

Ausgenommen davon sind neben den kleinen Stücken, also den Albumblättern, Tänzen, der Weber-Trauermusik und der Orchestration des Wesendoncklliedes "Träume", allein die Columbus-Ouvertüre und die drei großen Märsche, die dennoch Relikte der Sonatensatzform zeigen, wie insbesondere am Großen Festmarsch deutlich wird. In der A-B-A-Form, die an die der Gattung gemäße Anlage Marsch-Trio-Marsch gemahnt, hat der Mittelteil unverkennbar Durchführungscharakter, und im A-Teil ließe sich das Thema ab Takt 29 seinem Charakter nach als kontrastierender Seitensatz interpretieren, erklänge es nicht wie das Hauptthema in der Grundtonart. Diese Eigenheit ist bedeutsam, weil Wagner im übrigen streng darauf sah, daß der Seitensatz in der Exposition, wie es sich nach der Tradition (und der Formenlehre) gehörte, zuerst immer in der Dominante bzw. der Tonikaparallele erklang. Eine Ausnahme bildet allein die Wesendonck-Sonate, deren Seitensatz nicht in Es-dur steht, der Dominante, sondern C-dur als Bezugstonart hat. Dementsprechend erklingt der Seitensatz auch in der Reprise nicht in der Grundtonart (As-dur), wie sonst stets bei Wagner üblich; korrespondierend zur Verkehrung der Reihenfolge der Themenkomplexe in der Reprise erscheint der Seitensatz bezogen auf Des-dur, die Subdominante, so daß die Wiederkehr des Seitensatzes weniger selbst schon Reprise ist als vielmehr deren Vorstufe und Vorbereitung.

Bemerkenswert ist, daß Wagner den Sonatensätzen der Ouvertüren und Symphonien meist langsame Einleitungen vorangestellt hat. Das entsprach in den frühen Werken einerseits der Konvention, andererseits war es ein Zeichen besonderen Anspruches. In den späteren Kompositionen, der Polonia- und Rule Britannia-Ouvertüre und dem ersten Satz der geplanten Faust-Symphonie (Eine Faust-Ouvertüre) gab Wagner der langsamen Einleitung freilich eine andere Funktion, auf die weiter unten eingegangen wird.

So sehr Wagner einerseits bestrebt war, sich an die Tradition anzulehnen, so schwer scheint es ihm andererseits gefallen zu sein, die übernommenen Formen angemessen auszufüllen, ihnen zu entsprechen. Symptomatisch sind pure Wiederholungen thematischer Phrasen in anderen Tonarten, wie in den Seitensätzen der Konzert-Ouvertüre in d-moll, der Ouvertüre zu "König Enzio" und der Faust-Ouvertüre, durch die die Seitensätze erst die Ausdehnung bekommen, die ihnen in Relation zum Hauptthema und zur Gesamtanlage entspricht. Die Wiederholungen, die nicht selten auch ungewöhnliche Tonarten in die Expositionen hineinbringen – z.B. in der König Enzio-Ouvertüre B-dur bei der Grundtonart e-moll –, ersetzen motivisch-thematische Fortsetzungen, wie sie der Seitensatz der Faust-Ouvertüre sogar noch im Keim zeigt (Takt 126–131). Die Herauslösung eines Motivs aus der vorangehenden thematischen Phrase (Takt 126f) führt jedoch nicht zu einer eigenständigen Entwicklung, sondern mündet, nach vergleichsweise mühsamem Übergang (Takt 131f in der ursprünglichen Version), in ein lediglich transponiertes Zitat des zuvor exponierten Themas. Bezeichnend auch, daß Wagner, als er 1855 auf Liszts Kritik hin dem Seitensatz mehr Ausdehnung gab (Takt 146–166), dies nicht durch die Entfaltung des bereits exponierten thematischen Materials tat, sondern durch Einfügen völlig neuer Takte mit neuer Motivik. Er hatte dabei lediglich den lyrischen Grundcharakter des Seitensatzkomplexes im Sinn, nicht seine motivisch-thematische Geschlossenheit und Folgerichtigkeit.

Es ist freilich die Frage, ob mit dem exponierten Material eine motivisch-thematische Entwicklung überhaupt möglich gewesen wäre. Wagners Themen und Motive haben häufig eine Faktur, die sie für motivisch-thematische Arbeit nicht gerade geeignet erscheinen läßt. Das Hauptthema der Faust-Ouvertüre ist so gut wie nicht entwicklungsfähig, und es war nur konsequent, daß Wagner den Fortgang der Komposition mit anderen Themen und Motiven bestritt.

Insofern die Themen und Motive nicht primär Ausgangsmaterial sind für motivisch-thematische Entwicklungen oder größere übergeordnete Zusammenhänge wie in den Sonaten und Symphonien Beethovens, wächst ihnen naturgemäß mehr Eigenbedeutung zu, der Akzent liegt gleichsam auf den Themen und nicht auf dem, was aus ihnen gebildet und entwickelt wird. Dem korrespondiert die erwähnte Tendenz zur lediglich transponierten Wiederholung, durch die die Themen und thematischen Phrasen als solche besonders hervorgehoben werden. Dieser Zug zum Thema zeigt sich auch daran, daß Überleitungen und Epiloge in einigen wichtigen Werken sich — nicht anders als Haupt- und Seitensätze — durch eine eigene charakteristische Thematik und Motivik auszeichnen, so daß das traditionelle Gefälle zwischen den Formteilen nivelliert erscheint. Das gilt z.B. für die Überleitung vom Haupt- zum Seitensatz der Rule Britannia-Ouvertüre (Takt 40—54), die aus zwei Wiederholungen eines sehr ausgeprägten, auf vier Takte gedehnten Kurzmotivs besteht. Lediglich die jeweilige Veränderung des Schlußintervalls des Motivs bewirkt den intendierten, der Funktion der Überleitung entsprechenden harmonischen Fortgang, während das Motiv selbst in seiner charakteristischen Struktur unverändert bleibt, also der Motivcharakter hervorgehoben wird. In der Polonia- und der Faust-Ouvertüre treten neue, gleichsam dritte Themen an die Stelle der zu erwartenden Epiloge (Polonia: Takt 168ff; Faust: Takt 167ff). Die Konsequenz dieser Thematisierung von Formteilen, die traditionell gerade dadurch ausgezeichnet waren, daß in ihnen spezifische, ausgeprägte Thematik fehlte, ist die bereits erwähnte Integration der Mehrsätzigkeit in die Sonatensatzform, wie sie beispielhaft das Siegfried-Idyll zeigt. In diesem Werk tritt auch an die Stelle der Durchführung ein Abschnitt mit einem Thema, das zuvor noch nicht erklungen war (Takt 148ff); ihm folgt in Takt 259 ein weiteres neues Thema, abermals in verändertem Tempo und in anderer Taktart. Der so entstehende Reihungscharakter ist typisch für Wagners Instrumentalkompositionen, wenn er auch im Siegfried-Idyll deutlich ins Extrem geführt erscheint. Dabei ist kein Zufall, daß das Siegfried-Idyll seinen Themenbestand weitgehend dem Musikdrama "Siegfried" entnimmt. Auch für die Musikdramen ist das Aneinanderreihen von Themen und Motiven konstitutiv. Der sogenannnte Trauermarsch im dritten Akt der "Götterdämmerung" ist dafür ein markantes Beispiel. Während aber dort die Abfolge der Themen eine ganz folgerichtige Rekapitulation von Stationen der Biographie Siegfrieds, samt Vorgeschichte, darstellt, gerät eine Konzentration von Themen und Motiven wie in der langsamen Einleitung der Faust-Ouvertüre, wo in 25 Takten nicht weniger als 9 verschiedene Themen und Motive exponiert werden, in die Gefahr des nicht-integrierten, nicht-integrierbaren und darum unverbindlichen Potpourris. Wagner versuchte, dem zu begegnen, indem er die in Takt 3 eingeführten Motive der Streicher fast wie einen beibehaltenen Kontrapunkt in der Fuge behandelte. Nur

wenige Takte sind ohne diese ostinato-ähnlich durchge-
führten Motive. Eine vergleichbare Klammer bildet im
Siegfried-Idyll das Hauptthema, das nach jeder Exposition eines neuen Themas rondohaft . wiederkehrt und
meist mit dem neuen Thema simultan kombiniert wird.
Wagner ließ im übrigen auch die Themenreihung im sogenannten Trauermarsch der "Götterdämmerung" nicht
ohne einheitsstiftendes Verbindungsmittel; zwischen die
wiederkehrenden Motive schob er, wenn auch nicht regelmäßig, jeweils ein Zitat des sogenannten Todesrhyth-
mus ein.

Die beiden genannten Motive aus dem dritten Takt
der Faust-Ouvertüre haben die Funktion, Einheit und
Zusammenhang zu schaffen. Die Veränderungen, die sie
im Verlauf des Stücks durchmachen, sind deshalb nicht
zu erklären als thematische Entfaltungen mit Folgerichtigkeit im Sinne etwa entwickelnder Variation, sondern
als Konsequenzen ihrer Anpassung an die jeweilige harmonische Situation. Das führt schließlich bis zur Reduk-
tion auf den blanken Rhythmus wie etwa in den Takten
288, 290 und 309ff, ein Verfahren, das aus den Musikdramen, speziell denen des "Rings", bekannt ist. Man
denke an das Hunding-Motiv, das mehrfach allein in der
Pauke ertönt. Daß die Leitmotive in den Musikdramen
auch um der Einheit des Ganzen willen da sind, wird im
folgenden Kapitel noch zur Sprache kommen.

Das erwähnte Motiv aus der Überleitung der Rule
Britannia-Ouvertüre ist bemerkenswert, weil es sich nicht
in die herkömmliche Periodik fügt. Es erinnert mit dieser
Eigenschaft unmittelbar an viele Leitmotive der Musikdramen, die sich eben deshalb so leicht und virtuos hand-
haben lassen, jederzeit in den Zusammenhang einfügbar,
weil sie nicht an die traditionelle Periodik gebunden
sind.

Typisch und bedeutsam ist auch der gestische Charakter dieses Motivs, das eng verwandt ist mit dem Verbotsmotiv aus dem "Liebesverbot". Einen ähnlichen Typus — wenige Töne, prägnanter Rhythmus mit langen Notenwerten, vermindertes Intervall — repräsentiert ein Motiv in der Überleitung vom Haupt- zum Seitensatz der König Enzio-Ouvertüre (Takt 68/72f). Verwandt im Gestus, wenn auch etwas ausgedehnter, ist das Thema, das den Mittelteil der Columbus-Ouvertüre prägt (Takt 118ff). Zu nennen wäre in diesem Zusammenhang auch das Motiv Takt 38f der "Rienzi"-Ouvertüre. In allen Fällen handelt es sich um "Gegen"-Themen, die die feindliche Gegenwelt zur Welt des "Helden" darstellen. Diese kennzeichnen die meist diatonischen Hauptthemen. Die "Gegen"-Themen prägen vor allem die Durchführungen, die so gleichsam zu Kampfstätten werden. In der Rule Britannia-Ouvertüre, in der der "Held" — repräsentiert durch die englische Nationalmelodie — siegt, fehlt das "Gegen"-Thema folgerichtig in der Reprise, während es in der König Enzio-Ouvertüre dem tragischen Ausgang des Dramas entsprechend auch in der Reprise auftritt.

Gestischen Charakter, wenn auch deutlich unterschieden von den soeben genannten, haben auch das Hauptthema und das Motiv der Violoncelli in Takt 3 der Faust-Ouvertüre. Sie gemahnen an Motive der Musikdramen, die oft eine ähnliche Konzentration auf bestimmte Intervalle zeigen. Sie stellen gleichsam zwei Grundtypen von Motiven dar, das langgezogene, breite, von Elementarintervallen geprägte, und das kurze, durch rasche Bewegung ausgezeichnete, das sich zur ostinaten Repetition eignet.

Die Verbindungen zwischen Wagners Instrumentalkompositionen und seinen Opern und Musikdramen sind
vielfältig. Manches in den Ouvertüren und Symphoniesätzen nimmt zumindest andeutungsweise vorweg, was dann
in den Musikdramen zur vollen Entfaltung gekommen ist.
Die viel beschriebene und kritisierte Sequenztechnik ist
beispielsweise in der Polonia- wie der Rule Britannia-Ouvertüre anzutreffen, in der Faust-Ouvertüre ist sie sogar
konstitutiv für den Hauptteil der Durchführung. Exemplarisch aber zeigt sie der Mittelteil der Wesendonck-Sonate.
In beiden Fällen, dem der Faust-Ouvertüre wie dem der
Sonate, ist deutlich erkennbar, daß die Sequenztechnik
bei Wagner weniger der Fortspinnung dient als vielmehr
der Steigerung der in den sequenzierten Themen enthal-
tenen Charaktere und Affekte. Sehr deutlich ist das an
der Durchführung der Faust-Ouvertüre zu sehen. Nach
den drei Themenzitaten in F-dur, Ges-dur und a-moll
(Takt 167–211), von denen jedes das Thema um einen
Bestandteil verkürzt, beginnt ein Abspaltungsprozeß
(Takt 213ff), der die ursprüngliche Motivik fast ganz
auflöst (Takt 229–233). Endpunkt des Geschehens ist
jedoch ein neues Themenzitat (Takt 237ff). Ähnliches
vollzieht sich in der Wesendonck-Sonate. Nach der motivischen Raffung der Takte 177 bis 123 folgt in Takt 123
wieder eine längere Version des Durchführungsmodells.
Die daran anschließende Verkürzung (Takt 126f) dient
mit ihrer aufsteigenden Sequenzfolge allein dem dynamischen Aufschwung zu einem weiteren Themen- bzw.
Durchführungsmodellzitat, das wieder etwas ausgedehnter ist. Dieses Hin und Her zwischen Zitat und Auflösung
des Themas zusammen mit dem Wechsel vom 3/4- zum
2/4-Takt und mit der ständigen Beschleunigung des

Tempos macht aus der Durchführung einen Verlauf, der viel Ähnlichkeit hat mit einer dramatischen Szene. Mit Recht hat darum Carl Dahlhaus auf die Verwandtschaft des Charakters der Sequenztechnik der Wesendonck-Sonate mit derjenigen des "Tristan" hingewiesen[4].

Es hat den Anschein, als habe Wagner in seinen Instrumentalkompositionen, insbesondere aber in der Faust-Ouvertüre und der Wesendonck-Sonate, Techniken und Verfahrensweisen erprobt, die dann in den Opern und Musikdramen zur vollen und ausführlicheren Anwendung gelangt sind. Das gilt auch für die Tempo- und Taktwechsel, die innerhalb der einsätzigen Kompositionen stattfinden, eine Eigentümlichkeit, die sich zwar in der Instrumentalmusik des späten Beethoven nachweisen läßt, im übrigen aber in der Instrumentalmusik, speziell der Symphonie, gänzlich unüblich war. Indessen korrespondiert sie dem gebräuchlichen Verfahren in den Musikdramen, für die zumindest der Tempowechsel konstitutiv ist, und der Art, wie Wagner sie 1876 ("Ring") und 1882 ("Parsifal") in Bayreuth aufgeführt hat. Wagner ließ die genannten Werke nämlich mit zahlreichen zusätzlichen Tempowechseln spielen, gemäß seiner Überzeugung, daß jede musikalische Phrase, jedes Thema und jeder Formteil ein eigenes, seinem Charakter entsprechendes Tempo brauche, um angemessen zur Darstellung zu kommen. Für den Dramatiker wie für den Dirigenten Wagner war Tempo ein Mittel des Ausdrucks und nicht, wie in der Zeit zuvor, ein Mittel der Einheit des Ganzen[5]. Als Wagner 1872 anläßlich der Grundsteinlegung des

---

[4] Richard Wagner, Sämtliche Werke, Band 19, hg.v.C.Dahlhaus, Mainz 1970, S. VII.

[5] vgl. Egon Voss, Die Dirigenten der Bayreuther Festspiele, Regensburg 1976, S. 87.

Bayreuther Festspielhauses Beethovens IX. Symphonie aufführte, gehörten die zahlreichen Tempoänderungen innerhalb der einzelnen Sätze zu den markantesten Eigenheiten seiner Interpretation. Aufschlußreich ist die Begründung dafür. Sie ist durch den Wagner-Jünger Heinrich Porges überliefert, der die Aufführung beschrieben und den Bericht publiziert hat. Man darf annehmen, daß Porges Wagners Meinung wiedergegeben hat. Er schrieb: "Diese Modifikation des Tempos wird nun besonders in solchen Werken als unumgänglich notwendig sich herausstellen, die reich an innern Gegensätzen sind, in denen mit einem Worte das dramatische Element vorwaltet und eben deshalb eine scharfe Dialektik verschiedener Stimmungen und Gefühlsströmungen zu Tage tritt"[6]. Der Hinweis auf das "dramatische Element" ist so etwas wie der Schlüssel zu Wagners Verständnis der Instrumentalmusik überhaupt; denn Wagner hat nicht nur die IX. Symphonie mit zahlreichen Tempowechseln aufgeführt, sondern nahezu die gesamte symphonische Literatur. Die Tempomodifikation war ein Prinzip, beim Dirigieren wie beim Komponieren. Sie ist die naturgemäße Folge der Konzentration aufs Detail, auf den Augenblick, wie sie dem Drama angemessen ist und dem Dramatiker entspricht.

Besonders auffällig sind die Tempomodifikationen in den Instrumentalkompositionen in jenen Fällen, in denen nicht nur neue Formteile mit neuer Thematik, nach dem Vorbild der Mehrsätzigkeit, mit verändertem Tempo auftreten, sondern auch bereits vorgestellte Themen und Motive in modifiziertem Zeitmaß wiederkehren. Bisweilen geht das auch mit Veränderung der Taktart ein-

[6] Porges 6.

her. Wagner hat beides schon in dem fragmentarisch überlieferten Orchesterwerk in e-moll angewendet. Das Motiv in Takt 29f erklingt dort im Allegro-Tempo; in Takt 119f wird es jedoch "Un poco lento" ausgeführt. Diese Phrase (Takt 119—122) steht im 2/4-Takt; sie kehrt wieder in Takt 207ff, dort aber nach 6/8 umgeschrieben und im Allegro-Tempo. Der markanteste Tempo- und Taktwechsel betrifft die Melodie Takt 171ff (6/8, Allegro assai); sie erscheint in Takt 374ff übertragen in den 2/4-Takt und als "Marcia funebre". Die Konzert-Ouvertüre in d-moll enthält in ihrer ersten Fassung vor dem Schluß-Presto einen Andante maestoso-Teil, in dem das Thema des Seitensatzes mehrere Male durchgeführt wird (Takt 293—312). Bezeichnend ist, daß dieser Abschnitt in der zweiten Version fehlt. Der unkonventionelle, formal nicht zu rechtfertigende Einschub, der wohl Wagners Intentionen, nicht aber den klassischen Mustern entsprach, dürfte das Mißfallen Theodor Weinligs erregt haben, der im Herbst 1831 Wagners Kompositionslehrer wurde und sehr wahrscheinlich die Umarbeitung der kurz zuvor entstandenen Ouvertüre angeregt hat. Sein Einfluß ließ Wagner in seinen nächsten Kompositionen der Tradition der Instrumentalmusik gemäß auf Tempo- und Taktwechsel innerhalb einzelner Sätze verzichten. Freier bewegte sich Wagner nur — wie es der Tradition wiederum genau entsprach — in der Fantasie in fis-moll, die aber dennoch einem klaren und leicht erkennbaren Formplan folgt. In diesem Werk klingt Wagners Neigung zur leitmotivischen Verknüpfung an. Nach dem Vorbild von Beethovens IX. Symphonie nämlich gibt es vor dem Schlußteil Reminiszenzen an die Anfänge des Sonaten-Allegros und den Adagio molto-Teil, die im Zentrum der Fantasie stehen.

Während Wagner bei diesen Wiederholungen das Tempo unverändert beibehielt, kehrte er in der Polonia-Ouvertüre zum alten Verfahren zurück. Das Hauptthema wird zunächst innerhalb der langsamen Einleitung als Interpolation im 6/8-Takt und im Allegretto-Tempo vorgestellt (Takt 40ff), um dann im Sonatensatz im 4/4-Takt und Allegro molto vivace zu erscheinen (Takt 75ff). Ein Musterbeispiel in diesem Zusammenhang ist die Faust-Ouvertüre, in der ein großer Teil der Themen und Motive in der langsamen Einleitung erklingt, bevor sie im Allegro-Tempo auftreten. Die Tatsache, daß mit einer Ausnahme alle Themen und Motive im schnellen Teil die doppelten Notenwerte gegenüber dem langsamen haben, könnte dazu verleiten, gleiches Tempo für beide Notierungen anzunehmen. Das Tempoverhältnis zwischen beiden Teilen ist jedoch größer als 1:2; denn in der ersten Fassung, dem ersten Satz der Faust-Symphonie, schrieb Wagner "Sostenuto" und "Molto agitato" vor, in der publizierten Version (Eine Faust-Ouvertüre) "Sehr gehalten" und "Sehr bewegt". Vortrag von Themen und Motiven in langsamerem und schnellerem Zeitmaß findet man schließlich beispielhaft auch in der Wesendonck-Sonate (vgl. Takt 4–6 mit 85–87 und 92–94) und im Siegfried-Idyll.

Das beschriebene Verfahren steht der Leitmotivtechnik der Musikdramen nahe. Pierre Boulez hat in seinem "Ring"-Essay in den Programmheften der Bayreuther Festspiele 1976 auf den ständigen Wandel der Themen und Motive nach Tempo und Taktart aufmerksam gemacht; er ging so weit zu behaupten, sie seien überhaupt "an kein bestimmtes, geschweige denn endgültiges Tempo geknüpft"[7]. Entwickelt hat Wagner dieses Verfahren

7 [Programmheft:] Das Rheingold, S. 25.

in seinen Instrumentalkompositionen. Es durchzieht sein gesamtes Instrumentalschaffen vom ersten bis zum letzten Werk und — das sei besonders hervorgehoben — tritt dort sehr viel früher auf als in den Bühnenwerken.

Verwandt mit den Verfahrensweisen in den Musikdramen ist auch die Technik der motivischen Ableitung von Themen. So übernimmt das Seitenthema der Polonia-Ouvertüre in den Takten 148 bis 151 die ersten vier Takte des Hauptthemas, eine Interpolation von fast leitmotivischem Charakter. Das Oboenmotiv in Takt 23 (2. und 3. Zählzeit) der Faust-Ouvertüre kehrt wieder in der Überleitungsphrase Takt 81f, 85f und 87f, integriert in einen neuen Zusammenhang, ohne daß sich also von Zitat oder Wiederholung sprechen ließe. Indessen kann auch nicht die Rede sein von motivisch-thematischer Weiterentwicklung oder entwickelnder Variation.

Zu Beginn der Coda des ersten Satzes der Symphonie in C-dur ertönt in Oboen und Klarinetten eine aufsteigende Terz in langen Notenwerten. Dieses Motiv — zuerst vier Mal die kleine Terz, dann einmal die große — kehrt am Anfang und im Verlauf des zweiten Satzes mehrere Male wieder, der anderen Taktart des langsamen Satzes angepaßt und wechselnd zwischen der Durversion (Anfang und Schluß) und der Mollversion (Mittelteil). Im übrigen bleibt das Motiv aber völlig unverändert, so daß seine Wiederholungen wie Zitate wirken. Das hat selbstverständlich vor allem damit zu tun, daß das Motiv — in beiden Versionen — bereits im ersten Satz exponiert worden ist. Die Mollversion im Mittelteil des zweiten Satzes ist also mehr Reminiszenz an die Coda des ersten Satzes als an den Anfangsteil des zweiten, und auch die Durversion erscheint innerhalb des zweiten Satzes stets auch als Erinnerung an den Schluß des ersten. Der Bezug ist ausschließlich einer des Motivs, hat nichts zu tun mit der Rolle, die es in den beiden Symphoniesätzen spielt. Der Zusammenhang, den es stiftet, hat leitmotivischen Charakter. Ausschlaggebend ist dabei nicht so sehr die gewiß nicht unbedeutende Tatsache, daß das Motiv nahezu unverändert bleibt; denn in den Musikdramen werden die Leitmotive — allgemein gesprochen — motivisch-thematischer Arbeit und Durchführungstechnik unterworfen, ohne daß sich deshalb an ihrem Leitmotivcharakter etwas änderte. Ausschlaggebend ist vielmehr, daß das Motiv keine formale Funktion erfüllt, weder an zentraler Stelle der formalen Anlage steht, noch die Aufgabe hat und haben kann, musikalische Entwicklung in Gang zu setzen und den Verlauf der Komposition auf spezifisch musikalische Weise zu bestimmen. In der Tat erfüllt das Motiv im ersten Satz der Symphonie keine formale Funktion. Aber auch im zweiten Satz, wo es an unterschiedlichen Stellen auftritt und in den gesamten Verlauf integriert ist, erscheint die Rolle, die es im Strukturschema spielt, bewußt peripher gehalten. Weder ist es Bestandteil des Hauptthemas, noch läßt es sich als Nebenthema auffassen. Auch von der Einleitung zum Hauptthema, der es vorangestellt ist, hebt es sich noch ab, gleichsam als Einleitung der Einleitung. Jedenfalls ist die formale Funktion des Motivs geschwächt, so daß sich sein leitmotivischer Charakter um so besser entfalten kann.

Dieses Unterlaufen der formalen Funktion, wie man es vielleicht nennen kann, ist in vielen Instrumentalkompositionen Wagners anzutreffen. Das Hauptthema der Polonia-Ouvertüre ist eine Reminiszenz an den Allegretto-Teil der langsamen Einleitung, wird also nicht, wie traditionell üblich, als etwas Neues exponiert, sondern wirkt wie die strettahafte Ausführung des im langsameren Tempo bereits — wenn auch mehr andeutungsweise — erklungenen Themas. Erst recht leitmotivisch erscheint die Beziehung zwischen dem in den Takten 13 bis 16 in die langsame Einleitung interpolierten ersten Allegretto-Teil — der zuvor erwähnte ist der zweite — und der Coda, die das Thema dieses Einschubs wiederaufgreift. In der Rule Britannia-Ouvertüre ist das englische Nationallied Gegenstand der langsamen Einleitung, zugleich aber Seitensatz der Sonatenform des Allegros: auch hier also Reminiszenz an eine bereits vorgestellte Melodie, Reprise gleichsam an einer Stelle, die gewöhnlich der Exposition von etwas Neuem vorbehalten ist. In dieser Ouvertüre legte es Wagner auf eine von der Vorstellung der Symmetrie ausgehende Formanlage an. Die Reprise nämlich setzt mit dem Seitenthema, also Rule Britannia, ein, und nach dem dem Seitensatz nachgestellten Hauptthema folgt am Schluß die Rekapitulation der langsamen Einleitung, die breitere Version des Liedes, wie zu Beginn. Während die quasi-symmetrische Anlage ein Zugeständnis an das traditionelle Formverständnis ist, unterminiert sie gleichzeitig die Sonatensatzform, in der die Rule Britannia-Melodie — in der Exposition Seitenthema — plötzlich Hauptthema-Funktion erhält, zumal Wagner das Hauptthema der Exposition in der Reprise in schnellerem Tempo vortragen läßt, so daß es wie eine Stretta, eine beschleunigte Coda wirkt, nicht jedenfalls wie das dem Seitensatz lediglich nachgeordnete Hauptthema. Noch aus einem anderen Grund ist die Rule Britannia-Ouvertüre in diesem Zusammenhang von Interesse. Die Überleitung zwischen Haupt- und Seitensatz und später auch die Durchführung werden geprägt durch das erwähnte gestische Motiv mit über-

mäßigem bzw. vermindertem Intervall (Takt 40f). Das
Motiv ist jedoch hier wie dort ein Zitat; denn es erklingt
bereits in Takt 15 und 16 der langsamen Einleitung.
Dort hat Wagner die sechzehntaktige Liedmelodie um
zwei Takte verlängert, indem er zwischen dem 14. und
dem 15. Takt zwei Takte eingeschoben hat, um das Motiv
noch innerhalb der Einleitung und des langsamen Tempos zu exponieren. Fast hat man den Eindruck, es sei
nachträglich eingefügt worden — die erste Skizze enthält in der Tat Anhaltspunkte für diese Annahme —, um
zu verhindern, daß über der formalen Funktion der
Überleitung der ausgeprägte Charakter des Motivs verloren gehe, der für seine Rolle als "Gegen"-Thema gegen
die Rule Britannia-Melodie wichtig ist und Wagner, wie
es scheint, viel wichtiger war als seine formale Aufgabe.

Fast ins Extrem getrieben erscheinen die in der Rule
Britannia-Ouvertüre festgestellten Züge in der Faust-Ouvertüre. Ich beziehe mich bei den folgenden Angaben auf
die verbreitete Partitur von Eine Faust-Ouvertüre. Von
der Überleitungsphrase Takt 69 bis 92, dem Seitensatz
und den bei der Bearbeitung 1855 eingefügten Takten 146
bis 166 abgesehen werden sämtliche Themen und Motive
schon in der langsamen Einleitung vorgestellt, so daß sie
alle im Sonaten-Allegro als Reminiszenzen auftreten.
Takt 2 verweist, wenn auch zunächst nur andeutungsweise, auf das Hauptthema. In Takt 3 werden zwei der
wichtigsten Motive exponiert, deren ständige Gegenwart,
wie erwähnt, eines der markantesten Merkmale des
Werks ist. Das Halbton-Motiv in den Fagotten (Takt 3—
8), das bereits in der Einleitung selbst transponiert wiederkehrt, prägt, modifiziert, die Takte 45 bis 49. In Takt
8 folgt dann zum ersten Mal das Hauptthema, vorgetragen von den Violinen wie auch später im Allegro. Das

daran anschließende Seufzer-Motiv in den Bläsern Takt 10ff, sequenziert in Takt 13ff, kehrt zu Beginn des schnellen Teils zweimal wieder (Takt 52ff). Schließlich wird in den Takten 19 bis 22 eine Phrase vorgestellt, die im Sonatensatz sowohl drittes Thema ist als auch Material der Durchführung (Takt 167—245). Diese gipfelt im Vortrag dieses dritten Themas in d-moll, dem sich, gedehnt zwar, transponiert und modifiziert, die Passage der Takte 22 bis 27 der langsamen Einleitung anschließt. Es entsprechen sich Takt 22 und 245 bzw. 248f (Baß-Motiv), 23 und 254—258, 24 und 264—268, 25 und 270f bzw. — von hier an der Tonfolge nach sogar wörtlich — 272ff, 26f und 276—279. Auf dem Höhepunkt der Durchführung tritt also eine Art Reprise des Schlußteils der langsamen Einleitung auf. Die Wiederkehr der Motivfolge entspricht jedoch keiner formalen Notwendigkeit, ist eher dazu angetan, die traditionelle Formanlage zu verdecken oder gar in Frage zu stellen; denn das Thema aus Takt 19ff der langsamen Einleitung, das dritte Thema des Sonatensatzes, erklingt auf dem Höhepunkt, wie gesagt, in d-moll, der Grundtonart des Werks, nimmt damit der Reprise des Hauptthemas (Takt 325ff) den ihr traditionell vorbehaltenen Effekt der endlichen Rückkehr zur Tonika. Schließlich noch der Hinweis, daß die Überleitungsphrase Takt 80 bis 92 in der Reprise zwar wiederkehrt, aber nicht mehr in der Funktion der Exposition, sondern als Epilog, grundtonart-befestigend, gefolgt vom dritten Thema, dessen d-moll eine direkte Beziehung zum Durchführungshöhepunkt herstellt.

Der Sinn dieses Unterlaufens der traditionellen formalen Funktion, dieses Ablenkens von der Aufgabe im spezifisch musikalischen Zusammenhang ist der, die Bedeutungs- und Ausdrucksqualität der Themen und Motive stärker in den Vordergrund treten zu lassen. Für Wagner nämlich waren Themen und Motive Stimmungs- und Ausdrucksträger, nicht Elemente übergeordneter Zusammenhänge oder bloßes Material für musikalische Entwicklungen. In "Eine Mitteilung an meine Freunde" schrieb Wagner mit Bezug auf das musikalische Drama: "Jede dieser Hauptstimmungen mußte, der Natur des Stoffes gemäß, auch einen bestimmten musikalischen Ausdruck gewinnen, der sich der Gehörempfindung als ein bestimmtes musikalisches Thema herausstellte"[8], und bei einem Vergleich zwischen Musik und Poesie nannte er das musikalische Motiv "eine Persönlichkeit, keine Rede"[9]. Themen und Motive waren fertige Charaktere, geschlossene Einheiten. Die Beziehungen, die sich aus ihren Wiederholungen ergaben, waren solche der Bedeutung, des Ausdrucks, der Stimmung. Aus dieser Auffassung resultierte die erwähnte auffällige Konzentration auf das Thema. Es ist unübersehbar, daß im Musikdrama dem "Gewebe der Hauptthemen" mehr Bedeutung zukommt als der "Versmelodie" des Sänger-Darstellers[10]. Auffällig auch, daß viele Äußerungen Wagners über Musik solche über Themen sind. Was er für seine geplanten Symphonien notierte, waren Themen. Bezeichnend ist schließlich auch, daß die "Einheit des Symphoniesatzes", die Wagner dem Musikdrama zugrundegelegt wissen wollte, auf der Basis der Identität von Themen zustandekommen sollte, nicht durch einen übergeordneten musikalischen Zusammenhang, in den die Themen integriert sind, oder den sie aus sich entwickeln. Wagner ging es vielmehr um jenen, nicht

[8] SS IV, 322.
[9] CT 25.11.1870.
[10] Kropfinger, Wagner und Beethoven, 172.

anders als literarisch zu nennenden Zusammenhang, den die Ausdrucksqualitäten und der Hof von Bedeutungen und Assoziationen, der den Themen und Motiven im Verlauf eines Musikdramas zuwächst, stiften. Gemeint ist das, was Thomas Mann als "Beziehungszauber" gerühmt hat[11]. Wie die Beispiele zeigen, scheint er auch in den Instrumentalkompositionen intendiert gewesen zu sein. Wie anders wäre das eigenartige Netz von motivischen Beziehungen zu erklären, das Wagner beispielsweise in der Faust-Ouvertüre geknüpft hat? Indessen stehen der Entfaltung eines Systems von Beziehungen nach dem Muster der Musikdramen in der Instrumentalmusik doch gewichtige Hindernisse im Wege. Dazu gehören die traditionellen Formschemata, die Wagner darum zu unterlaufen oder zu überspielen versuchte; dazu würden jedoch auch Formen sui generis gehören, deren folgerichtige Entwicklung die Aufmerksamkeit beanspruchen würde, die dem Feld der literarischen Beziehungen gelten soll. Vor allem aber ist mit rein musikalischen Mitteln nicht die Bestimmtheit des Ausdrucks und der Bedeutung zu erreichen, die erst eine weitreichende Differenzierung der Beziehungen möglich macht. Es ist die konkrete dramatische Situation im Musikdrama, die die Themen und Motive mit dem anreichert, was ihre Wiederholung an späterer Stelle über die bloße Repetition der Noten bzw. die rein musikalische Wiederkehr hinaushebt und bedeutsam — im wahrsten Sinne dieses Wortes — erscheinen läßt. Wagner erkannte sehr richtig, daß das "Gewebe von Grundthemen" in der Faust-Ouvertüre weit zurückblieb hinter dem Beziehungsreichtum, den er intendiert hatte. Es war daher nur konsequent, die so ver-

[11] Thomas Mann, Richard Wagner und der "Ring des Nibelungen", in: Schriften und Reden zur Literatur, Kunst und Philosophie, Band 2, Frankfurt/M 1968, S. 245.

standene symphonische Themen- und Motivtechnik nicht mehr auf die Instrumentalmusik, sondern auf die Oper, das Drama anzuwenden, und vermutlich ging Wagner später die Komposition des Siegfried-Idylls allein deshalb so leicht von der Hand — immerhin ist es der einzige symphonische Plan, der verwirklicht wurde —, weil dessen Themen und Motive durch ihren unübersehbaren Bezug zum dritten Akt des "Siegfried" und ihren Kreis von Assoziationen aus der Privatsphäre in Tribschen deutlich und bestimmt genug waren, um ein den Musikdramen verwandtes Beziehungssystem sich entfalten zu lassen.

Das "Gewebe der Hauptthemen", das im Musikdrama das Beziehungssystem konstituiert, sollte nach dem Aufsatz "Über die Anwendung der Musik auf das Drama" so beschaffen sein, daß sich die Themen "wie im Symphoniesatze gegenüberstehen, ergänzen, neu gestalten, trennen und verbinden"[12]. Wagner ging es um "die charakteristische Verbindung und Verzweigung der thematischen Motive"[13], um "Kombinationsfülle"[14]. Er pries den dritten "Tristan"-Akt als ihr Muster. Vorgebildet ist sie in den Instrumentalkompositionen. Da freilich die größeren und ambitionierten fast alle der Sonatensatzform folgen, läßt sich das "Gegenüber" der Themen und Motive selbstverständlich meist von der traditionellen Formanlage her erklären. Die Tendenz jedoch, Themen und Motive, wie in den Musikdramen, in jeweils neue Zusammenhänge zu stellen, ist unverkennbar und trifft sich mit der Intention, die formale Funktion zu verschleiern und zu unterlaufen. Ein gutes Beispiel dafür ist die We-

---

[12] SS X, 185.
[13] SS IV, 322.
[14] SS VIII, 186.

sendonck-Sonate mit ihrer Verkehrung der Reihenfolge der Themenkomplexe in der Reprise. Innerhalb des Seitensatzes ist die Abfolge der Motive, die ihn bilden, ebenfalls verändert, und schließlich wird in zwei Interpolationen das Hauptthema im Seitensatz zitiert (Takt 177f/183f). Besonders an diesen Einschüben, die als gänzlich unvermittelte zwischen den konstitutiven Elementen des Seitensatzes stehen, werden die leitmotivische Intention und die "Kombinations"-Absicht deutlich. Das Nacheinander von drittem und zweitem Thema am Schluß der Polonia-Ouvertüre (Takt 583—593) erscheint, da es in der strettahaften Coda einer Instrumentalkomposition auftritt, potpourrihaft, steht in Wahrheit jedoch dem in den Musikdramen, etwa in der Überleitung von der zweiten zur dritten "Rheingold"-Szene geübten Verfahren der unmittelbaren Aneinanderreihung mehrerer Leitmotive nicht fern. In der Faust-Ouvertüre hat Wagner — wie erwähnt — die Überleitungsphrase Takt 80ff in der Reprise ausgelassen und sie stattdessen an den Beginn der Coda gestellt, obwohl sie, da sie nicht moduliert, gut in der Reprise einzufügen gewesen wäre. Im Siegfried-Idyll schließlich geht der Wiederkehr des Seitenthemas in der Reprise (Takt 373ff) ein Abschnitt voraus, den es in der Exposition gar nicht gegeben hat.

Wichtiger und charakteristischer als die Kombination der Themen und Motive im Sukzessiven ist ihre simultane Verbindung. Die Themenkombination, wie sie exemplarisch das "Meistersinger"-Vorspiel zeigt, ist ein durchgehendes Stilmerkmal von Wagners Instrumentalkompositionen. Schon das e-moll-Fragment zeichnet sich dadurch aus (Takt 235–250/277ff). In der Durchführung der Konzert-Ouvertüre in d-moll erklingen das Hauptmotiv und das Seitenthema zusammen (Takt 167ff). Die

Polonia-Ouvertüre kombiniert in den Takten 487 bis 494 das Hauptthema mit der in Takt 13ff exponierten Melodie. In der Faust-Ouvertüre werden ähnlich wie im Siegfried-Idyll einige Motive mit nahezu allen anderen verknüpft. Die Motive aus Takt 3 erklingen im Seitensatz, in der Durchführung zusammen mit dem dritten Thema, in der zweiten Hälfte der Durchführung und in der Reprise zusammen mit dem Hauptthema. Im Siegfried-Idyll schließlich wird die Kombination der Themen und Motive zum konstitutiven Element der Komposition. In Takt 37f wird das Hauptthema mit dem sogenannten Schlummermotiv kombiniert, das im übrigen keine formale Funktion innehat. Nach der Aufstellung des Seitenthemas folgt sogleich seine Verbindung mit dem Hauptthema (Takt 109ff). Das gleiche geschieht nach dem dritten Thema (Takt 219ff). Das vierte Thema (Takt 259ff) wird von Motiven des Waldvogels aus dem "Siegfried" begleitet, und ab Takt 286 treten Hauptthema, drittes Thema und Schlummermotiv zusammen auf. Diese Kombination, der Höhepunkt des gesamten Werks, gipfelt im Zitat eines weiteren Waldvogel-Motivs in der Trompete (Takt 303ff). Die Reprise (Takt 286ff) ist weniger die Rückkehr zur Grundtonart, die Rückkehr des Hauptthemas, als vielmehr die Klimax der thematischen Beziehungen, der Höhepunkt der "Kombinationsfülle". Freilich ist deren Entfaltung in der Instrumentalmusik begrenzt. Erst im Musikdrama vermag sie dem wahren "Beziehungszauber" zu dienen.

***

Wagners Verständnis der Instrumentalmusik war literarisch-dramatisch. Wagner äußerte mehrfach, daß Beethovens Symphonien "dramatisch" seien[15]. Daß er die IX. Symphonie weniger als Symphonie, vielmehr als Drama aufgefaßt und dementsprechend dirigiert hat, ist durch Heinrich Porges bezeugt. Zur Durchführung des 1. Satzes heißt es in dem schon zitierten Bericht über die Bayreuther Aufführung von 1872: "Den nun folgenden Durchführungssatz erhob er zu dem, was er seinem wahren Wesen nach ist: zu einem gewaltigen, lebendigen Drama"[16]. Im Jahre 1846, als Wagner die IX. Symphonie in Dresden zur Aufführung brachte, verfaßte er ein "Programm" für das Werk, das jedem Satz u.a. Verse aus Goethes "Faust" als Motto oder Erläuterung zuordnete[17]. Daß es sich dabei nicht nur um einen momentanen Einfall handelte, der allein die Aufgabe hatte, Interesse und Aufmerksamkeit bei den Dresdnern zu wecken, wird daraus ersichtlich, daß Wagner das Programm später in seine Gesammelten Schriften aufgenommen hat. Ein Programm im strengen Sinne eines literarischen Vorwurfs, dem die Komposition genau folgt bzw. das sich dem Verlauf der in diesem Fall ja bereits vorliegenden Komposition exakt anpaßt, war das selbstverständlich ebensowenig wie die "Programmatische Erläuterung" zu Beethovens "Eroica", die Wagner in Zürich 1851 anläßlich einer von ihm dirigierten Aufführung der Symphonie schrieb[18]. Dem bildhaften, an historischen Vorgängen orientierten Verständnis der "Eroica", das er für falsch und unangemessen hielt, setzte er den Versuch einer Benennung der wichtigsten durch die Musik dargestell-

[15] SS IX, 99/CT 20.1.1873/11.11.1878/30.1.1883.
[16] Porges 10.
[17] SS II, 56—64.
[18] SS V, 169—172.

ten oder ausgedrückten Stimmungen und Affekte entgegen. Die Erläuterung kompensierte gleichsam das Unvermögen der Instrumentalmusik, sich eindeutig und unmißverständlich auszusprechen.

Lehnte es Wagner ab, Kompositionen nachträglich dezidierte Programme zu unterschieben, so ist doch auffällig, daß er wiederholt ganz konkrete Assoziationen beim Anhören von Instrumentalmusik hatte, die er vermutlich aber nie öffentlich mitgeteilt hätte. Über Beethovens 7. Symphonie beispielsweise hat Cosima in ihren Tagebüchern notiert: "er sagt mir: Er habe immer die mystische Bedeutung der Sachen gesucht, z.B. bei der Introduktion der A-dur-Symphonie habe er an die Stelle im 'Faust' gedacht, 'wie Himmelskräfte auf und nieder steigen und sich die goldnen Eimer reichen –', am Ende könne es dies bedeuten!"[19] Wagners Vorstellungen gerieten bisweilen bis hin zur dramatischen Handlung. So heißt es ein anderes Mal über die 7. Symphonie: "für mich ist dieses Werk ein vollständiges Bild eines Dionysos-Festes; natürlich wird man daran nicht denken, wenn man es hört, aber hätte es ein geistvoller Meister ausdrücken wollen, es wäre nicht anders sich vorzustellen. Zuerst der Herold und die Tibien-Spieler, darauf das sich sammelnde Volk (die Skala), darauf das reizvolle Thema, welches den Sinn der Prozession in einer schwungvollen Bewegung darstellt, usw. Das Andante ist die Tragödie, das Opfer des Gottes, Erinnerungen an Zagreus, auch du hast gelitten, darauf ländliche Feier, die Winzer und sonstige Landleute mit Thyrsusstäben, und als Schluß das Bacchanal. Nun ist die Musik bei weitem idealer als alles, und es wäre töricht, wollte man ein solches Programm aufstellen; nur aus der Betrachtung und der Erinnerung

[19] CT 16.11.1874 – vgl. auch CT 14.6.1875.

drängt sich mir das Bild auf"[20]. Bei einer Stelle in Beethovens 8. Symphonie hatte Wagner folgende Assoziation: "beim zweiten Thema im Finale ruft R.: 'Da kommt Galathea! Darauf die Delphine und das Meergezücht, spielend, lärmend und zankend'"[21]. Dieser Art zu hören, Musik aufzunehmen, korrespondiert Wagners Art zu komponieren. In Cosimas Tagebüchern steht der bemerkenswerte Satz: "Mir bedeutet R., wie der Musiker durch eine Idee, ein Bild bestimmt wird, demgemäß seine Musik entwirft"[22]. Während der Komposition der "Götterdämmerung" war die Rede von "Musikbildern"[23], die zu komponieren seien.

Erwähnt wurde im zweiten Kapitel, daß Wagner darüber geklagt hatte, beim Komponieren des amerikanischen Marsches sich "gar nichts vorstellen" zu können. Im gleichen Zusammenhang berichtete er, daß er sich bei der Ouvertüre "Rule Britannia" "ein großes Schiff gedacht" habe[24]. Das Werk ging demnach nicht darin auf, eine Komposition über das bekannte englische Nationallied zu sein. Die Mitteilung, daß Wagner sich bei der Komposition des Stücks "ein großes Schiff gedacht" habe — ein durchaus adäquates Symbol des Liedinhalts, der die englische Seeherrschaft betrifft —, ist als Auskunft über die Vorstellung, die die Komposition prägte oder doch zumindest anregte, indessen fast unzulänglich. Im allgemeinen waren die Imaginationen viel ausführlicher. Das läßt sich durch Wagners gesamtes Instrumentalschaffen verfolgen. Im Jahre 1830, angesichts der Reso-

[20] CT 11.3.1873 — vgl. auch CT 5.6.1875/SS X, 147.
[21] CT 3.10.1875.
[22] CT 1.3.1871.
[23] CT 18.7.1871.
[24] CT 14.2.1876.

nanz der Pariser Julirevolution in Dresden, begann Wagner mit einer darauf bezogenen Komposition. In "Mein Leben" berichtete er darüber: "Mich begeisterte dieses Ereignis so sehr, daß ich eine politische Ouvertüre entwarf, deren Einleitung einen düstren Druck schilderte, in welchem dann ein Thema sich bemerklich machte, unter das ich zu deutlicherem Verständnis die Worte 'Friedrich und Freiheit' schrieb: dieses Thema war bestimmt, sich immer größer und herrlicher bis zum vollsten Triumphe zu entwickeln"[25]. Ein anderes Beispiel: der im zweiten Kapitel zitierte Plan zu einer Trauermusik für die im deutsch-französischen Krieg Gefallenen.

Wagners Vorstellungen betrafen Vorgänge, wie bei der Columbus-Ouvertüre und dem Plan zur Ouvertüre "Napoléon", meist jedoch Stimmungen, Affekte, Charaktere und deren Entfaltung. In der politischen Ouvertüre folgte der düsteren Stimmung die helle, strahlende; in der Trauermusik sollte sich die Trauer von der individuellen zur überindividuellen Klage steigern, um dann vom Triumph überwunden zu werden. Die Vorstellungen zeichneten die formale Anlage vor, gerieten damit jedoch in Konflikt mit den herkömmlichen Typen und Schemata, die Wagner als spezifisch musikalische zwar fremd gewesen zu sein scheinen, die er aber dennoch nicht aufgeben zu können glaubte. Wagner vermochte — das zeigen nicht zuletzt die vielen Pläne und die wenigen ausgeführten Werke — diesen Konflikt nicht schlüssig zu lösen, schon gar nicht durch eine neuartige Instrumentalmusik, die etwa auf die traditionellen Formen rigoros verzichtet hätte. Die Situation der Hilflosigkeit wäre dadurch nur gesteigert worden. In dieser Lage bot

[25] ML 52.

das Musikdrama eine ebenso überzeugende wie bequeme Lösung. Es gab durch den Handlungsverlauf, an dem entlangkomponiert werden konnte — was Wagner, wie die Skizzen zeigen, auch durchgehend getan hat —, eine verbindliche Leitlinie für das Komponieren, eine Leitlinie, die Wagner im Unterschied zu jener der traditionellen Schemata akzeptieren konnte; denn sie zeichnete nicht abstrakte formale Abläufe vor, sondern Stimmungen, Affekte, Charaktere und ihre Entfaltung, ihr Gegen- und Miteinander, ihre Spannung und ihre Lösung. Das Musikdrama erleichterte das Komponieren.

Legitimation des Musikdramas durch die Symphonie

Wagners Schriften sind voll von Äußerungen über die Instrumentalmusik. Es ist jedoch bezeichnend, daß alle wichtigen Aussagen zu diesem Thema in jenen Schriften zu finden sind, die sich mit der Oper und dem Musikdrama auseinandersetzen. Eine separate theoretische Auseinandersetzung mit der Instrumentalmusik, der Symphonie, hat Wagner nie vorgenommen. Um sie gab es für ihn keine Diskussion. Die neue Kunstform des Musikdramas jedoch bedurfte der Legitimation, der ästhetischen wie der historischen, und Wagner war unermüdlich — fast möchte man sagen: zwanghaft —, sie zu leisten, sie schlüssig und unwiderleglich zu erbringen. Die Symphonie erfüllte dabei eine sehr wesentliche, vielleicht sogar die zentrale Funktion. Wagners symphonischer Ehrgeiz ging weniger faktisch in das Musikdrama ein — indem etwa einige charakteristische Züge der Symphonik übernommen wurden —, als vielmehr ideell, indem Wagner einen kausalen Zusammenhang zwischen Musikdrama und Symphonie herstellte, einen Zusammenhang, der in der Folge ein wichtiger Bestandteil der Bayreuther Ideologie wurde. Die Aussagen über die Instrumentalmusik und die Symphonie spiegeln deshalb weniger Wagners tatsächliche Auffassung wider als vielmehr seinen Wunsch, das Musikdrama als legitime Gattung darstellen zu können und verstanden zu wissen. Die Äußerungen sind daher gleichsam gegen den Strich zu lesen. Vermochte es Wagners symphonischer Ehrgeiz nicht, sich in bedeutenden, allgemein anerkannten Symphonien zu manifestieren, so sollte das Musikdrama symphonischen Ansprüchen genügen, symphonisch verstanden und erlebt werden.

Zwei Funktionen erfüllte die Symphonie — in der Wagner den Höhepunkt der Instrumentalmusik sah — in seinem Legitimationssystem. Sie war das ästhetische Vorbild und die historische Vorstufe des Musikdramas.

Wie Wagner in dem Aufsatz "Über die Anwendung der Musik auf das Drama" 1879 schrieb, "hat die ästhetische Wissenschaft zu jeder Zeit die Einheit als ein Haupterfordernis eines Kunstwerkes festgestellt"[1]. Auch das Musikdrama, sollte ihm der Kunstcharakter nicht fehlen, bedurfte der Einheit. Sie sollte ihm durch die Anlehnung an die Symphonie zuwachsen. Wagner forderte, daß "die neue Form der dramatischen Musik, um wiederum als Musik ein Kunstwerk zu bilden, die Einheit des Symphoniesatzes aufweisen" müsse[2]. Damit wertete er das Musikdrama gegenüber der Oper auf, der er die Einheit absprach. Er sah sie als "zusammenhangloses Gewirr kleiner, unentwickelter Formen"[3] und vermißte einen "alle Teile umfassenden gleichmäßig reinen Stil"[4]. Im Musik-

[1] SS X, 184.
[2] SS X, 185.
[3] SS VII, 92f.
[4] SS VII, 133.

drama sollte sich demgegenüber, wie in der Symphonie, die Einheit "über das ganze Drama" erstrecken und "nicht nur über einzelne kleinere, willkürlich herausgehobene Teile desselben"[5], wie in der Oper. Würde und Aura symphonischen Zusammenhangs kamen auf diese Weise in das Musikdrama, das dem Hörer als gleichsam überdimensionaler und monumentaler Symphoniesatz erscheinen sollte.

Geschaffen wird die Einheit, die den Kunstcharakter gewährleistet, durch ein "das ganze Kunstwerk durchziehendes Gewebe von Grundthemen"[6]. Dieses "Gewebe der Hauptthemen", wie Wagner es an anderer Stelle nannte[7], ist ein Grundbegriff der Ästhetik des Musikdramas. Gemeint ist Wagners Leitmotivtechnik, sein "thematisches Verfahren", wie er selbst sagte[8]. Obwohl das Leitmotiv aus der Oper stammt und sein literarischer Charakter unbezweifelbar ist, leitete Wagner sein "thematisches Verfahren" von der Symphonie ab. Er wollte das Musikdrama nicht als Resultat einer Systematisierung des Leitmotivprinzips der älteren Oper verstanden wissen, sondern im Sinne von thematischer Musik nach dem Vorbild der Symphonie, deren besondere Würde eben darin bestand, thematische Musik zu sein, aus Themen und Motiven gebildete und sich entfaltende Musik. Auf nichts anderes wollte Wagner hinaus, als er die "gerechte und zugleich nützliche Beurteilung der durch meine eigenen künstlerischen Arbeiten dem Drama abgewonnenen musikalischen Formen" verlangte[9]. "Dieser Weg",

[5] SS X, 185.
[6] ebda.
[7] SS IV, 322.
[8] SS IV, 323.
[9] SS X, 185.

heißt es im gleichen Zusammenhang, "ist, meines Wissens, noch nicht beschritten worden, und ich habe nur des einen meiner jüngeren Freunde zu gedenken, der das Charakteristische der von ihm sogenannten 'Leitmotive' mehr ihrer dramatischen Bedeutsamkeit und Wirksamkeit nach, als (da dem Verfasser die spezifische Musik fern lag) ihre Verwertung für den musikalischen Satzbau in das Auge fassend, ausführlicher in Betrachtung nahm". Das Zitat zeigt Wagners wenn auch vorsichtig geäußerte Distanz zur Opernnähe des Leitmotivs. So genau Hans von Wolzogen, den Wagner meinte, die "dramatische Bedeutsamkeit und Wirksamkeit" der Leitmotive erfaßt und beschrieben haben mochte, so sehr bestand Wagner darauf, beurteilt zu werden nach dem, was mit den Leitmotiven spezifisch musikalisch vor sich geht.

Daß Wagner sein "thematisches Verfahren" symphonisch verstanden wissen wollte, macht die Beschreibung, wie das "Gewebe der Hauptthemen" zustandezukommen hat, unmißverständlich deutlich. Wagner schrieb, daß sich die Themen "ähnlich wie im Symphoniesatze, gegenüberstehen, ergänzen, neu gestalten, trennen und verbinden"[10]. An anderer Stelle sprach Wagner von "Wechsel, Wiederholung, Verkürzung und Verlängerung der Themen" als den Hauptmerkmalen des Symphoniesatzes[11], von dem er meinte, er gewinne allein aus dem "Zusammenhange der Themen und ihrer Wiederholung eine einheitvolle Form"[12]. Wagner tat so, als bestünden Symphoniesätze einzig aus Themen, deren Mit- und Gegeneinander, Variationen und Wiederholungen. Unbeachtet blieben die den Themen und Motiven übergeordneten

[10] ebda.
[11] SS IV, 202.
[12] ebda.

156

Formteile wie Exposition, Durchführung und Reprise, wie Haupt- und Seitensatz, Überleitung und Epilog etc. Ausgeschlossen blieben auch jene spezifisch musikalischen Zusammenhänge, die die Themen und Motive aus sich entwickeln, zielgerichtet, und die mehr sind als die Summe der Addition der Themen und dessen, was mit ihnen geschieht oder sich aus ihnen entfaltet. Der Symphoniesatz schrumpft in Wagners Darstellung zum bloßen Mit- und Gegeneinander von Themen. Zwar leugnete Wagner deren Veränderung, wie sie im Symphoniesatz gang und gäbe ist, nicht; aber immer lag der Akzent unverkennbar auf dem Thema, nicht auf dem, was daraus wird, es sei denn, es bilde sich ein neues Thema. Das entspricht unmittelbar dem konkret geübten Verfahren der Musikdramen, in denen noch in der abgewandeltsten Gestalt die Themen selbst gemeint sind. Bezeichnenderweise wendet man auf starke Varianten die Bezeichnung "deformiert" an.

Daß Wagner Techniken verwendete, die denen der Beethovenschen Sonaten- und Symphoniedurchführungen zumindest verwandt sind, ist nicht zu leugnen, zumindest so lange nicht, wie der Begriff der Durchführung und des Durchführens nicht präziser gefaßt wird. Allgemein gesprochen werden also Themen und Motive in den Musikdramen durchgeführt, und – wie Carl Dahlhaus gezeigt hat[13] – läßt sich sogar bisweilen von "entwickelnder Variation" sprechen. Indessen ist Folgendes zu bedenken: Entsprechend der Maxime der "dichterisch-musikalischen Periode", die Tonart nicht zu verlassen, solange der auszudrückende Affekt sich nicht wan-

[13] Dahlhaus, Formprinzipien in Wagners "Ring des Nibelungen", 127.

delt[14], werden auch Themen und Motive in der Regel beibehalten. Als meist kurzgefaßte musikalische Entsprechungen zu den Hauptstimmungen und Charakteren des Dramas stehen sie aber durchgehend im Mißverhältnis zur Länge der Szenen und Situationen, denen sie korrespondieren oder nach der Meinung des Komponisten korrespondieren sollen. Die Technik des Durchführens bietet sich da gleichsam von selbst an. Durchführung ist demnach zu begreifen als Mittel, die Einheit des Affekts, der Stimmung und des Charakters einer Szene, einer dramatischen Situation zu gewährleisten. Beispiele: der Beginn der dritten Szene im ersten Akt der "Meistersinger" (Versammlung der Meistersingerzunft) oder auch der Anfang der zweiten Szene im ersten Aufzug des "Siegfried" (Wanderer-Szene). Ebenso gut eignet sich das Durchführen selbstverständlich für Szenen, in denen ein Affekt zu steigern und zu intensivieren ist. Alle Techniken, die dabei angewendet werden, von der einfachsten bis zur kunstvollsten, sind lediglich Mittel zum Zweck, nicht selbst das Ziel, um das es geht. Begriffe wie motivisch-thematische Arbeit oder entwickelnde Variation, so treffend und berechtigt sie im einzelnen Fall erscheinen mögen, wecken daher falsche Vorstellungen. Wagner ging es nicht um die Kontinuität einer thematischen Entwicklung, um die quasi-logische Fortschreitung der Musik. Sein Verfahren ist nicht symphonisch-zielgerichtet wie das Beethovens. Es läßt sich eher als Entfaltung in die Breite, als Auffächern der motivischen Möglichkeiten bezeichnen, ist eher statisch bei aller Bewegung und Variation, und verwandt der Definition von "Durchführung" im Koch-Lexikon von 1802, die lautet: "Beibehaltung und stete Bearbeitung des Hauptgedankens in verschiedenen Wendungen und Modifikationen".

[14] vgl. Dahlhaus, Wagners Begriff der "dichterisch-musikalischen Periode".

***

In der Schrift "Zukunftsmusik" führte Wagner den zu großer Berühmtheit gelangten Begriff der "unendlichen Melodie"[15] ein als Terminus für jene Musik, die ungehemmt und ununterbrochen etwas aussagt. Die "unendliche Melodie" ist das Ideal einer ausdrucksvollen und ausdrucksstarken Musik, wie Wagner sie sich vorstellte und erstrebte[16]. Ihr Vorbild fand Wagner abermals in der Symphonie Beethovens. "Noch bei den Vorgängern Beethovens", heißt es in "Zukunftsmusik", "sehen wir diese bedenklichen Leeren zwischen den melodischen Hauptmotiven selbst in symphonischen Sätzen sich ausbreiten: [. . .] mir ist es wenigstens bei den so stabil wiederkehrenden und lärmend sich breitmachenden Halbschlüssen der Mozartschen Symphonie, als hörte ich das Geräusch des Servierens und Deservierens einer fürstlichen Tafel in Musik gesetzt. Das ganz eigentümliche und hochgeniale Verfahren Beethovens ging hiergegen nun eben dahin, diese fatalen Zwischensätze gänzlich verschwinden zu lassen, und dafür den Verbindungen der Hauptmelodien selbst den vollen Charakter der Melodie zu geben. Dieses Verfahren näher zu beleuchten, so ungemein interessant es wäre, müßte hier zu weit führen. Doch kann ich nicht umhin, Sie namentlich auf die Konstruktion des ersten Satzes der Beethovenschen Symphonie aufmerksam zu machen. Hier sehen wir die eigentliche Tanzmelodie bis in ihre kleinsten Bestandteile zerlegt, deren jeder, oft sogar nur aus zwei Tönen bestehend, durch bald vorherrschend rhythmische, bald harmonische Bedeutung interessant und ausdrucksvoll erscheint. Diese Teile fügen sich nun wieder zu immer

---

[15] SS VII, 130.
[16] vgl. Dahlhaus, Wagners dramatisch-musikalischer Formbegriff, 292.

159

neuen Gliederungen [. . .], daß der Zuhörer keinen Augenblick sich ihrem Eindrucke entziehen kann, sondern, zu höchster Teilnahme gespannt, jedem harmonischen Tone, ja, jeder rhythmischen Pause eine melodische Bedeutung zuerkennen muß. Der ganze neue Erfolg dieses Verfahrens war somit die Ausdehnung der Melodie durch reichste Entwicklung aller in ihr liegenden Motive zu einem großen, andauernden Musikstücke, welches nichts anderes als eine einzige, genau zusammenhängende Melodie war"[17]. Die "unendliche Melodie" war zusammenhangstiftend, ein bedeutendes Element also der ästhetisch Wagner so wichtigen Einheit, und fast ist man versucht anzunehmen, sie hätte auf so etwas basiert wie motivisch-thematischer Arbeit. Indessen gibt ein Ausspruch Wagners aus dem Jahre 1876, den Cosima in ihrem Tagebuch festgehalten hat, dazu eine unmißverständliche Erläuterung: "Wenn die Melodie aufhört und durch irgendeine Arbeit ersetzt werden soll, hört die Wirkung auf. Beethoven ist der erste, bei welchem alles Melodie ist und der es gezeigt hat, wie aus einem und demselben Thema immer neue Themen entstehen, die ganz etwas für sich sind"[18]. Daß Wagner sich in diesem Belang als Erbe Beethovens empfand, macht besonders eine Stelle in einem Brief an August Roeckel aus dem Jahre 1854 deutlich, an der es über die Komposition des "Rheingold" heißt: "Für jetzt nur so viel, daß sie zu einer fest verschlungenen Einheit geworden ist: das Orchester bringt fast keinen Takt, der nicht aus vorangehenden Motiven entwickelt ist"[19]. Zweierlei ist hier offenkundig: der große symphonische Anspruch und die deutliche Dif-

---

[17] SS VII, 126f.
[18] CT 10.6.1870.
[19] Roeckel-Briefe 42.

ferenz zwischen Idee und Wirklichkeit, eine Differenz, die — ignoriert — die Idee zur Ideologie werden läßt. Weder von Beethovens Symphonien nämlich noch vom "Rheingold" läßt sich ernsthaft behaupten, daß das Orchester fast keinen Takt bringe, der nicht aus vorangehenden Motiven entwickelt sei. Die Ableitung der Musik aus einer einzigen Keimzelle und die auf diese Weise verwirklichte totale Integration aller Formteile und -elemente in einen einheitlichen motivisch-thematischen Zusammenhang ist eine schöpferische Idee — man mag sie als solche bewundern —, eine exakte und beweisbare Aussage über die Wirklichkeit ist sie nicht. Das gilt für das "Rheingold" ebenso wie für Beethovens Symphonien. Wagner war sich dessen auch bewußt. Als er die zitierten Worte an Roeckel schrieb, setzte er die bezeichnenden Worte hinzu: "Doch hierüber läßt sich nicht verkehren".

Einheit und Zusammenhang, "unendliche Melodie" und "ununterbrochener Fluß"[20] waren, so sehr Wagner auf dem "Gewebe von Grundthemen" und dem "thematischen Verfahren" als in das Musikdrama überführter Errungenschaften der Symphonie bestand, mehr rationaler Beurteilung sich entziehende als ihr zugängliche künstlerisch-ästhetische Kategorien. Anläßlich eines Konzerts 1873 in Hamburg, in dem Beethovens 5. Symphonie aufgeführt wurde, notierte Cosima im Tagebuch: "Unaussprechlicher Zusammenhang der Teile der Beethoven'schen Symphonie — sie gehören zusammen, doch wer will erklären wie?"[21]

**

[20] SS VII, 130.
[21] CT 20.1.1873.

Die Berufung auf die Symphonie geschah, so wichtig Wagner die genannten Gesichtspunkte waren, vor allem jenes "durch die Symphonie Beethovens erschlossenen unendlichen Vermögens" der Musik wegen, das Wagner als "bisher der Welt unbekanntes Vermögen des Ausdruckes" definierte[22]. Dieses Ausdrucksvermögen galt es dem Drama nutzbar zu machen, gemäß Wagners Auffassung von der Musik als eines "Mittels des Ausdrucks"[23]. Als Wagner in "Zukunftsmusik" schrieb, er sehe die Möglichkeit zur Verwirklichung seiner "Idee von dem im Operngenre zu Leistenden" vor allem darin, "daß der ganze reiche Strom, zu welchem Beethoven die deutsche Musik hatte anschwellen lassen, in das Bett dieses musikalischen Dramas geleitet würde"[24], meinte er vor allem die durch Beethoven entwickelte Ausdruckskraft der Musik. Daß er unter dem Namen Beethoven dessen Symphonien verstand, braucht nicht erklärt zu werden. Indessen behauptete Wagner, die Symphonien Beethovens hätten noch längst nicht das gesamte Terrain der Möglichkeiten des Ausdrucks voll ausgeschritten. An dieser Stelle in seiner Beurteilung und Darstellung der Symphonie wird darum die Symphonie vom ästhetischen Vorbild des Musikdramas zu seiner historischen Vorstufe. Wagner war nämlich der Meinung, "daß die melodische Form [als konkretes Pendant des Ausdrucksvermögens] noch zu unendlich reicherer Entwicklung fähig ist, als [. . .] dies bisher in der Symphonie selbst möglich dünken durfte"[25]. Er beschrieb die Symphonie als ein Genre, das durch die Entwicklung, die es insbesondere durch Beethoven genommen habe — eben jene Entwicklung zum entfal-

[22] SS VII, 111.
[23] SS III, 231.
[24] SS VII, 97.
[25] SS VII, 129.

teten Ausdrucksvermögen —, in ein Dilemma geraten sei, und er behauptete, daß die Symphonie allein es nicht zu überwinden vermöge. Dieses Dilemma sah er — auf eine kurze prägnante Formel gebracht — in der Unvereinbarkeit von Form und Ausdruck. Daß Wagner damit eigene kompositorische Probleme benannte, liegt nahe. Indem er sie als historische und in der Natur der Sache liegende darstellte, legitimierte er sie und selbstverständlich auch ihre Lösung, das Musikdrama.

Um deutlich und verständlich zu machen, daß das Ausdrucksvermögen der symphonischen Musik in der Symphonie selbst nicht zur vollen Entfaltung gelangen könne, die Überwindung der Form der Symphonie daher notwendig sei, charakterisierte Wagner die Symphonie als eine Gattung mit sehr beschränktem Ausdrucksbereich. Wie alle Gattungen der Instrumentalmusik leitete er die Symphonie von Tanz und Marsch ab. "Jedes selbständige Instrumentaltonstück", heißt es in dem Offenen Brief "Über Franz Liszts symphonische Dichtungen", "verdankt seine Form dem Tanze oder Marsche, und eine Folge solcher Stücke, sowie ein solches, worin mehrere Tanzformen verbunden waren, ward 'Symphonie' genannt"[26]. Durch diese Herkunft sah Wagner den "Grundcharakter"[27] der Symphonie bestimmt und festgelegt. Noch Beethovens späte Symphonien — die IX. ausgenommen — faßte er als Tanzmusik auf, wie sein berühmt gewordenes Wort von der 7. Symphonie als der "Apotheose des Tanzes"[28] zeigt, das nicht nur ein Lob war, sondern zugleich das Werk klassifizierte und auf einen bestimmten, eng begrenzten Ausdrucksbereich

[26] SS V, 189.
[27] SS X, 180.
[28] SS III, 94.

festlegte. Die Fähigkeit zum "dramatischen Pathos" sprach Wagner der Symphonie ab, "so daß die verzweigtesten Komplikationen der thematischen Motive eines Symphoniesatzes sich nie im Sinne einer dramatischen Handlung, sondern einzig möglich aus einer Verschlingung idealer Tanzfiguren, ohne etwa jede hinzugedachte rhetorische Dialektik, analogisch erklären lassen könnten. Hier gibt es keine Konklusion, keine Absicht und keine Vollbringung. Daher denn auch diese Symphonien durchgängig den Charakter einer erhabenen Heiterkeit an sich tragen. Nie werden in einem Satze zwei Themen von absolut entgegengesetztem Charakter sich gegenüber gestellt; wie verschiedenartig sie erscheinen mögen, so ergänzen sie sich immer nur wie das männliche und weibliche Element des gleichen Grundcharakters"[29]. Daß Wagner mit dieser extremen Ansicht sich selbst widersprach, machen die erwähnten Aussagen über das Dramatische in Beethovens Symphonien deutlich. In seiner Beethoven-Schrift von 1870 hatte Wagner die Nähe der Symphonien Beethovens zum Drama ausdrücklich hervorgehoben[30] und über die dritte Leonoren-Ouvertüre geschrieben: "Wer wird dieses hinreißende Tonstück anhören, ohne nicht von der Überzeugung erfüllt zu werden, daß die Musik auch das vollkommenste Drama in sich schließe? Was ist die dramatische Handlung des Textes der Oper 'Leonore' andres, als eine fast widerwärtige Abschwächung des in der Ouvertüre erlebten Dramas . . .?[31] Möglich, daß Wagner 1879, als er die oben angeführten Sätze schrieb, eine Verschärfung seiner Meinung vornahm, um dem neuen Symphoniker jener Jahre, Jo-

[29] SS X, 178.
[30] SS IX, 99.
[31] SS IX, 105.

hannes Brahms, ästhetisch den Boden zu entziehen. Die Symphonie schien nicht mehr von Belang, ein Anachronismus, und je enger Wagner den Bereich der Symphonie faßte, desto natürlicher erschien es, die Grenzen dieses Bereichs zu überschreiten, hin zum Musikdrama.

Wagner legitimierte die Tatsache, daß sein eigenes Ausdrucksbedürfnis bei aller Begeisterung für die Symphonie sich mit deren Formen und Gattungsregeln nicht vertrug, indem er sich auf die Musikgeschichte bezog. In ihr fand er "den unabweisbaren Trieb, die Grenzen des musikalischen Ausdruckes und seiner Gestaltungen" zu erweitern, womit er in erster Linie die Programmusik (Mendelssohn, Berlioz, Liszt) meinte[32]. "Die reine Instrumentalmusik", schrieb Wagner im gleichen Zusammenhang, "genügte sich nicht mehr in der gesetzmäßigen Form des klassischen Symphoniesatzes, und suchte ihr namentlich durch dichterische Vorstellungen leicht anzuregendes Vermögen in jeder Hinsicht auszudehnen; was hiergegen reagierte, vermochte jene klassische Form nicht mehr lebensvoll zu erfüllen, und sah sich genötigt, das ihr durchaus Fremde selbst in sich aufzunehmen und dadurch sie zu entstellen"[33]. Das von Wagner der Symphonie unterstellte Dilemma ist in diesen Worten klar und unzweideutig formuliert. Folgte die Symphonie der in ihr liegenden Tendenz zum ungehemmten Ausdruck, so unterminierte sie ihre Form, das, was sie legitimierte und verständlich machte. Auf diese Situation bezog sich Wagner bei der Feststellung "eines gewissen Zagens des Komponisten, gewisse Grenzen des musikalischen Ausdruckes nicht zu überschreiten, namentlich die leiden-

[32] SS X, 180.
[33] SS X, 183f.

schaftliche, tragische Tendenz nicht zu hoch zu stimmen, weil hierdurch Affekte und Erwartungen angeregt werden, welche im Zuhörer jene beunruhigende Frage nach dem Warum erwecken müßten, welcher der Musiker eben nicht befriedigend zu antworten vermöchte"[34]. Damit ging Wagner auf die Notwendigkeit der Legitimation der Überschreitung der Gattungsgrenzen ein. So sehr er der Erweiterung des Ausdrucks das Wort redete, sie als historische Notwendigkeit darstellte, so sehr verlangte er ihre ästhetische Rechtfertigung. Nach Wagner war es die Erkenntnis, diese Rechtfertigung nicht erbringen zu können, derentwegen "der Symphoniker noch mit Befangenheit zur ursprünglichen Tanzform zurückgriff, und nie selbst für den Ausdruck ganz die Grenzen zu verlassen wagte, welche ihn mit dieser Form im Zusammenhang hielten"[35].

Dem beschränkten Ausdruck in der Symphonie entsprach nach Wagner die begrenzte Möglichkeit zu modulieren. War Wagner einerseits der Meinung, in der Entwicklung bis zum 19. Jahrhundert habe die "Melodie die unerhört mannigfaltigste Fähigkeit erhalten, vermöge der harmonischen Modulation die in ihr angeschlagene Haupttonart mit den entferntesten Tonfamilien in Verbindung zu setzen"[36], und sprach er vom "unermeßlichen Ausdehnungs- und Verbindungsvermögen"[37] der Harmonik in der modernen Musik, so konstatierte er andererseits, daß in der "ungeheuer mannigfaltigen Breite" der harmonischen und modulatorischen Möglichkeiten "dem zweck- und ruhelos daherschwimmenden absoluten Mu-

[34] SS VII, 128.
[35] SS VII, 129.
[36] SS IV, 148.
[37] SS IV, 149.

siker endlich bang zu Mute" geworden sei[38]. Wagner stellte es so dar, als bereue der Instrumentalkomponist die Erweiterung der Möglichkeiten, weil er sich nicht in der Lage sehe, sie zu nutzen[39]. Abermals nämlich fehlte die Möglichkeit der Rechtfertigung. Daß sie in der Symphonie selbst erbracht werden könnte durch innermusikalische Konsequenz, hielt er für ausgeschlossen. 1879 sprach er von den "'Stümpern', welche ohne Not stark und fremdartig modulieren"[40], eine Abqualifizierung, die vermutlich in erster Linie Johannes Brahms galt, an dessen Kompositionen Wagner nach Cosimas Tagebuch im September 1879 "unruhiges Ausschreiten in ferne Harmonien und gesuchte Seltsamkeiten" tadelte[41]. Wagner erblickte hier eine Rückübertragung der "musikalischen Neuerungen auf dem dramatischen Gebiete auf die Symphonie", die er für unzulässig hielt. Er schrieb: "Im richtigen Sinne undenklich ist uns ein harmonisch sehr auffallend moduliertes Grundmotiv eines Symphoniesatzes, namentlich wenn es sogleich bei seinem ersten Auftreten sich in solcher verwirrender Ausstattung kundgäbe. Das fast lediglich aus einem Gewebe fern fortschreitender Harmonien bestehende Motiv, welches der Komponist des 'Lohengrin' als Schlußphrase eines ersten Ariosos der in selige Traumerinnerung entrückten Elsa zuteilt, würde sich etwa im Andante einer Symphonie sehr gesucht und unverständlich ausnehmen, wogegen es hier aber nicht gesucht, sondern ganz von selbst sich gebend, daher auch so verständlich erscheint, daß meines Wissens noch nie Klagen über das Gegenteil aufgekom-

[38] ebda.
[39] ebda.
[40] SS X, 176.
[41] CT 10.9.1879.

men sind. Dies hat aber seinen Grund im szenischen Vorgange"[42].

Der Entfaltung des Ausdrucks stand vor allem die
Form im Wege. Wie bereits deutlich wurde, sah Wagner
sie vor dem Hintergrund von Tanz und Marsch. Deren
Regel erforderte, wie Wagner es darstellte, "statt der
Entwicklung, wie sie dem dramatischen Stoffe not tut,
den *Wechsel*, der sich für alle dem Marsch oder dem
Tanz entsprungenen Formen — den Grundzügen nach —
als die Folge einer sanfteren, ruhigeren Periode auf die
lebhaftere des Anfanges, und schließlich als die Wiederholung dieser lebhafteren festgestellt hat, und zwar aus
tief in der Natur der Sache liegenden Gründen. Ohne einen solchen Wechsel und solche Wiederkehr ist ein symphonischer Satz in der bisherigen Bedeutung nicht zu
denken, und was sich im dritten Satze einer Symphonie
offenbar als Menuett, Trio und Wiederholung des Menuetts erweist, ist, wenn auch verhüllter [. . .] in jedem anderen Satze als Kern der Form nachzuweisen"[43]. Wie alle
Formen der Instrumentalmusik verstand Wagner — wie
es scheint — auch die Sonatensatzform als Anlage nach
dem Schema A-B-A. Er faßte sie statisch auf, wie auch
einige zuvor zitierte Aussagen über die Symphonie bestätigen. Daß sie als solche einem expansiv-dynamischen
Ausdrucksstreben im Wege war, leuchtet unmittelbar
ein. Wagner sprach daher vom "gefesselten Dämon der
Musik"[44], ein Wort allerdings, das er in bezug auf Haydns
Instrumentalmusik gebrauchte und seiner Begeisterung
gemäß wohl kaum auf Beethoven angewandt hätte. In
Mozarts Symphonien erlebte er einen Gegensatz zwi-

[42] SS X, 191.
[43] SS V, 189f.
[44] SS IX, 82.

schen der "göttlichen Anmut seiner Themen und dem schrecklichen Formalismus ihrer zuweiligen Durchführung"[45], und selbst in Beethovens Sonate op. 111, einem Werk, das er über alles schätzte und liebte, fand er "im ersten Satz noch etwas Steifes, was nicht ganz mit der Freiheit des Schlusses stimmt"; die Steifheit aber lastete er der Sonatenform an[46]. Sie war Teil einer Formenwelt, die sich nach Wagner von der bildenden Kunst und der Architektur herleitete[47], ihre Beurteilungskriterien also aus einem Kunstbereich bezog, der nicht mit dem Hören, sondern mit dem Sehen zu tun hatte. In dem Ziel der "Erregung des Gefallens an schönen Formen"[48] sah Wagner daher eine Verfälschung des Wesens der Musik, die — wie er meinte — "einzig nach der Kategorie des Erhabenen beurteilt werden" könne[49]. Demgegenüber beschrieb Wagner die Entwicklung der Musik als einen Weg in die "äußerste Eingeschränktheit in banale Formen und Konventionen"[50], aus der erst Beethoven den Ausweg gewiesen habe, Beethoven, der "wahre Inbegriff des Musikers"[51]. Sein Komponieren charakterisierte Wagner als "künstlerisches Verfahren", das er dem "Konstruieren nach Vernunftbegriffen" entgegenstellte[52]. Der Rekurs auf die Vernunft war dem Wesen der Musik ebenso fremd wie die Anlehnung an die bildende Kunst und die Architektur, an Konstruktion und schöne Form. Beides war zu überwinden. Als nicht aus der Natur der Sache selbst entwickelte waren die herkömmlichen musikali-

[45] CT 27.11.1873.
[46] CT 25.3.1882.
[47] SS IX, 77f.
[48] ebda.
[49] SS IX, 78.
[50] SS IX, 79.
[51] ebda.
[52] SS IX, 85.

schen Formen "willkürlich"[53]. Indessen scheint es, daß
Wagner, als er von der "musikalisch motivierten Willkür"[54] sprach, die Meinung hegte, alles musikalisch und
nur musikalisch motivierte sei willkürlich; denn er traute
der Musik allein die Fähigkeit zur schlüssigen, in sich
stimmigen Gestaltung nicht zu. Eine freie, von der Tradition gelöste, nicht auf Willkür beruhende Symphonie
war seiner Ansicht nach nicht möglich. Es scheint jedoch, daß Wagner gerade sie erstrebte. In dem Vortrag
"Über die Bestimmung der Oper" rühmte er Beethovens
Improvisieren und erklärte, "die Klage, gerade diese Er-
findungen nicht durch Aufzeichnung festgehalten zu
wissen", dürfe man, "selbst den größten Werken des Meisters gegenüber, nicht als übertrieben ansehen"[55]. Im
gleichen Zusammenhang stellte er fest, daß in Beethovens Instrumentalmusik "immer noch deutlich [. . .]
das Gerüste eines Baues übrig geblieben" sei, "dessen
Grundplan nicht im eigentlichen Wesen der Musik"
fuße[56]. Der in Beethovens Werken immer noch anzu-
treffenden "konventionellen Tonsatzkonstruktion" kon-
frontierte er die "ideale Anordnung von allerhöchster
Freiheit"[57], die Improvisation. "Was ist das Geschriebene
gegen die Inspiration", hatte er 1870 gesagt, "was ist gegen das Phantasieren das Notieren; letzteres tritt unter
bestimmte Gesetze der Konvention, ersteres ist frei,
grenzenlos; und das ist das Ungeheure an Beethoven, daß
er in seinen letzten Quartetten das Phantasieren festzu-
halten gewußt hat, was nur durch höchste Kunst zu erreichen war. Bei mir ist [es] das Drama, das immer die Kon-

[53] SS IV, 202.
[54] ebda.
[55] SS IX, 142f.
[56] SS IX, 149.
[57] ebda.

170

vention bricht und neue Möglichkeiten bringt"[58]. Wagners besondere Vorliebe für Beethovens späte Quartette wird hier verständlich, ebenso die Tatsache, daß sie von konkretem Einfluß auf Wagners Musikdramen waren, wie Klaus Kropfinger gezeigt hat[59]. Daß Wagner diese Quartette als notierte Phantasien auffaßte, veranschaulicht, daß er ihre spezifisch musikalische Struktur nicht wahrnahm oder nicht beachtete. Im übrigen hielt er sie für erläuterungsbedürftig, wie das Programm zum cis-moll-Quartett op. 131 zeigt. Dementsprechend bedurfte auch jene erstrebte "ideale Anordnung von allerhöchster Freiheit" der Rechtfertigung von außen. In "Über die Bestimmung der Oper" definierte Wagner darum das Musikdrama als "durch die höchste künstlerische Besonnenheit fixierte mimisch-musikalische Improvisation von vollendetem dichterischem Werte"[60].

***

Die Symphonie sollte jedoch nicht nur um der unbeschränkten Entfaltung ihrer Ausdrucksmöglichkeiten willen auf die traditionelle Form und die Gattungsregeln verzichten. In der Beethoven-Schrift sprach Wagner von den "geisttötenden Gesetzen" der klassischen französischen Poesie, in denen man "eine recht sprechende Analogie mit den Gesetzen der Konstruktion der Opernarie und der Sonate auffinden" könne[61]. 1872 bezeichnete Wagner die Sonatensatzform als "italienisches Produkt"

---

[58] CT 4.12.1870.
[59] Kropfinger, Wagners Tristan und Beethovens Streichquartett op. 130.
[60] SS IX, 149f.
[61] SS IX, 84.

und nannte sie "flach und konventionell"[62]. Er ging sogar
so weit zu behaupten, "der künstliche Formalismus der
jesuitischen Praxis" habe "die Religion, wie zugleich die
Musik, konterreformiert" und sei verantwortlich für die
genannten "geisttötenden Gesetze" der Konstruktion der
Sonate[63]. In Cosimas Tagebüchern ist zu lesen: "Der je-
suitische Stil, der sich auf die Architektur ausprägte, hat
auch die Sonatenform gegeben"[64]. Ihre Überwindung
war also gleichsam ein Akt der Selbstfindung des deutschen Wesens, die Befreiung vom Romanisch-Fremden.
Beethoven hatte — nach Wagner — sich wieder Bach d.h.
spezifisch deutscher reformatorischer Kunst dadurch ge-
nähert, "daß er das Beiwerk dieser Form [nämlich der
Sonatenform] so ungeheuer belebte"[65]. Erst aber ihre totale Überwindung im Musikdrama ermöglichte, nach
Wagners Verständnis, der Instrumentalmusik als einer
spezifisch deutschen Kunst die ungehinderte und unbe-
einflußte Entfaltung ihres Wesens.

Wichtiger als dieser national-nationalistische Gesichtspunkt ist jedoch der soziale, sozialpsychologische. In der
Beethoven-Schrift charakterisierte Wagner die Sonate in
folgender Weise: "Ihr äußerlicher Charakter war ihr
durch die Tendenz ihrer Verwendung verliehen: mit der
Sonate präsentierte sich der Klavierspieler vor dem Publikum, welches er durch seine Fertigkeit als solcher ergöt-
zen, und zugleich als Musiker angenehm unterhalten
sollte"[66]. Später, in dem Aufsatz "Über die Anwendung
der Musik auf das Drama", erklärte Wagner, es böten sich

[62] CT 13.7.1872.
[63] SS IX, 84.
[64] CT 11.3.1873.
[65] CT 13.7.1872.
[66] SS IX, 82.

"dem bloßen Instrumentalkomponisten keine anderen musikalischen Formen, als solche, in welchen er mehr oder weniger zur Ergötzung, oder auch zur Ermutigung bei festlichen Tänzen und Märschen ursprünglich 'aufzuspielen' hatte", und er leitete aus diesem Sachverhalt den "Grundcharakter des, aus solchen Tänzen und Märschen zuerst zusammengestellten symphonischen Kunstwerkes" ab[67]. Alle Instrumentalmusik war geprägt durch die Funktion, die sie in der Vergangenheit erfüllt hatte. Wagner sah diese Funktion in der Unterhaltung und "Ergötzung" eines Herrn durch seinen Diener, den Musiker. Das Musterbeispiel dafür war ihm Joseph Haydn[68]. Wenn Wagner in "Oper und Drama" die "Beschränktheit" der Musik — und darunter verstand er die Instrumentalmusik, die Symphonie — als "patriarchalisch" charakterisierte und von der "patriarchalischen Melodie" im Schlußsatz von Beethovens IX. Symphonie sprach[69], so spielte er auf diesen Sachverhalt an. Indem er aber die Form der Symphonie, die Formen der Instrumentalmusik als geprägt durch die Merkmale feudal-aristokratischer Herrschaft beschrieb, erschien das sich von diesen Formen lösende Musikdrama als Überwindung dieser Herrschaft und als Zeichen bürgerlicher Emanzipation. In der Symphonie, folgte sie den klassischen Mustern, wurde stets und unumgänglich die Erinnerung an den niedrigen sozialen Stand des Musikers von einst heraufbeschworen, daran, daß der Komponist als "fürstlicher Bediener für die Unterhaltung seines glanzliebenden Herrn" zu sorgen gehabt hatte[70]. Wagner, der sich als

---

[67] SS X, 180.
[68] SS IX, 88.
[69] SS IV, 149.
[70] SS IX, 88.

emanzipierter Künstler verstand, war diese Erinnerung zuwider. Im Musikdrama wurde sie getilgt. Das Musikdrama sollte die Konsequenz der gesellschaftlichen Entwicklung sein, wie Wagner sie sich vorstellte und in Schriften wie "Die Kunst und die Revolution" beschrieb.

***

So sehr Wagner die Befreiung der Symphonie vom Joch ihrer musikhistorischen und sozialen Herkunft, von "patriarchalischer Beschränktheit" und "künstlichem Formalismus" zur historischen Notwendigkeit erklärte, so nachdrücklich bestand er darauf, daß "jede Form ihren Ursprung noch erkenntlich in sich tragen" müsse, "wenn sie nicht unverständlich werden" solle[71]. Es mußte also ein Medium gefunden werden, daß die Funktion übernehmen konnte, die zuvor Tanzcharakter, Sonatensatzform usw. erfüllt hatten. Die unbeschränkte Entfaltung des symphonischen Ausdrucksvermögens war zu rechtfertigen, um verständlich zu sein. Ein Schritt in diese Richtung war die Programmusik, mit der sich Wagner darum auch auseinandersetzte. Er hielt sie jedoch für eine Verfehlung. Wagner nämlich akzeptierte nur unmittelbares Verständnis. Das aber schien ihm die Programmusik in ihrem Angewiesensein auf das schriftlich fixierte oder verbal vorzutragende Programm nicht zu gewähren. Die Erklärung für die spezifische musikalische Gestaltung sollte gleichsam sich von selbst verstehen, sie sollte unmittelbar begreifbar sein und nicht auf dem Umweg über Erläuterungen, die durch den Intellekt und nicht auf dem Wege über die sinnliche Wahrnehmung vermittelt werden. Hier ist ein Wort zu Wagners Begriff

[71] SS VII, 126.

des Verständnisses anzufügen. Wagner meinte Gefühlsverständnis, wenn er von Verständnis sprach, bezog sich selten auf den Verstand und Intellekt, auch wenn sein Gebrauch des Wortes nicht immer eindeutig ist. Die Verständlichkeit einer Musik war ihre Fähigkeit, beim Hören, ohne jede Erläuterung, restlos aufgenommen zu werden, ohne Fragen nach dem Warum, ohne Vermittlung oder Beteiligung intellektueller Zwischenstufen. Dieser Auffassung zufolge war im traditionellen Symphoniesatz die Wiederkehr der Themen, die Reprise, nicht zu legitimieren, weil — wie Wagner in "Oper und Drama" schrieb — ihre Rechtfertigung "vor dem Gefühle" nicht möglich war[72]. Indessen ist zu fragen, ob Wagner nicht auch die anderen Formteile des Symphoniesatzes in Wahrheit für legitimationsunfähig gehalten hat. Er empfand den "unentschiedenen Ausdruck"[73] in der Instrumentalmusik, die Unbestimmtheit der ausgedrückten Affekte als Mangel[74]. Wagner war es um "Vergegenwärtigung" zu tun; nur in der "gegenwärtigen" sah er die "wirklich wahrnehmbare Empfindung"[75]. Sie aber vermochte nach "Oper und Drama" allein die "Versmelodie" des Sänger-Darstellers im Musikdrama zu leisten; denn sie allein ließ die Empfindung konkret und unmißverständlich werden. Die instrumentale Vorwegnahme der "Versmelodie" war darum nur "Ahnung" — im Drama, bezogen auf die nachfolgende Konkretisierung in der "Versmelodie" ästhetisch tragbar, ja sogar von ganz besonderem Reiz für den intendierten "Beziehungszauber", in der Instrumentalmusik aber Ausdruck der Unfähigkeit

[72] SS IV, 202.
[73] SS II, 61.
[74] vgl. SS III, 277f.
[75] SS IV, 183.

der Musik, aus eigenen Mitteln über "unaussprechliche"
und "unbestimmte" Empfindungen hinauszugelangen[76].
In der Instrumentalmusik blieb es also stets bei der "Ahnung", in Expositionen so gut wie in Durchführungen
und Reprisen. Weil es nicht zur "Vergegenwärtigung"
kam, konnte die Wiederkehr nicht zur "Erinnerung" werden, wie im Musikdrama[77]. Es hat den Anschein, als habe
Wagner das Musikdrama mit seinem — wenn man so sagen darf — Schema "Ahnung"-"Vergegenwärtigung"-
"Erinnerung" als Weiterführung oder gar Erfüllung des
Sonatensatzschemas Exposition—Durchführung—Reprise
aufgefaßt. Die Analogie jedenfalls ist unübersehbar.

"Nicht ein Programm", schrieb Wagner in "Zukunftsmusik", "welches die hinderliche Frage nach dem Warum
mehr anregt als beschwichtigt, kann [. . .] die Bedeutung
der Symphonie ausdrücken, sondern nur die szenisch
ausgeführte dramatische Aktion selbst"[78]. Wagner interpretierte die Tendenz der Symphonie zur Entfaltung des
in ihr liegenden Ausdrucksvermögens als "Verlangen
nach Rechtfertigung durch das Wort und die vom Worte
bedingte Gebärde"[79], und, um die unmittelbare Verbindung zwischen Symphonie und Musikdrama hervor-
zuheben, bezeichnete er die "dramatische Aktion" als
die wahre "idealische Form des Tanzes"[80], den er

[76] SS IV, 186.
[77] SS IV, 190. — Das gilt nicht allein für die "Versmelodie", wie
es nach der Lektüre von "Oper und Drama" den Anschein
haben könnte. "Vergegenwärtigung" leisten auch die dramatische Situation allgemein, Stimmung und allgemeiner Gestus
usw., wie viele Themen und Motive im "Ring" zeigen. Vgl.
dazu Dahlhaus, Wagners Begriff der "dichterisch-musikalischen Periode", 184f.
[78] SS VII, 129.
[79] SS IV, 177.
[80] SS VII, 128.

— wie erwähnt — als die Grundlage der Symphonie annahm. Um der Schlüssigkeit der historischen Ableitung willen beschrieb Wagner die Programmusik als wichtige Zwischenstufe auf dem Wege von der absoluten Symphonie zur angewandten, dem Musikdrama[81]. Im Musikdrama war es möglich, jedes Themenzitat, jede formale Wendung, jede Modulation, kurz: den gesamten musikalischen Ablauf, so außergewöhnlich er auch sein mochte, durch den Bezug zu Text und Handlung unmittelbar verständlich erscheinen zu lassen. 1869 notierte Cosima im Tagebuch: "Bei Tisch erklärte R., wie anders man in der Symphonie als im musikalischen Drama verfahren müsse, wo alles außer den Dummheiten erlaubt sei, weil die Aktion alles erkläre"[82]. Einige Jahre später, während eines Besuchs des norwegischen Komponisten Johan Svendsen, riet Wagner "in Bezug auf Instrumental-Musik möglichst heitre Themen und Stimmung sich zu wählen; sonst suche man zu sehr nach dem Gegenstand und überhöre die Musik; das Exzentrische müsse durch das Drama erklärt werden"[83].

Das Drama legitimierte die zu sich selbst gekommene Symphonie. Nichts anderes drückte Wagner aus, als er im Dezember 1878 sagte, "er habe das Bedürfnis gehabt ein Mal sich ganz symphonisch gehen zu lassen, das habe ihn zum Tristan geführt"[84], ein Wort, das einen Vorgänger hatte in dem ebenfalls auf den "Tristan" sich beziehenden Ausspruch: "Es war mir ein Bedürfnis mich musikalisch auszurasen, wie wenn ich eine Symphonie geschrie-

[81] SS X, 181.
[82] CT 25.7.1869.
[83] CT 7.8.1872. — Vgl. den Aufsatz "Über die Anwendung der Musik auf das Drama", SS X, 186–190.
[84] CT 10.12.1878.

ben hätte"[85]. Daß Wagner sich ausdrücklich auf den "Tristan" bezog, dürfte zusammenhängen mit der besonderen Wertschätzung, die er diesem Werk entgegenbrachte. Sie kommt zum Ausdruck etwa in der Bemerkung in dem Aufsatz "Zukunftsmusik", daß er, Wagner, an den "Tristan" "die strengsten, aus meinen theoretischen Behauptungen fließenden Anforderungen zu stellen" erlaube[86]. Gleichzeitig erklärte er, er habe den "Tristan" komponiert "mit der vollsten Freiheit und mit der gänzlichsten Rücksichtslosigkeit gegen jedes theoretische Bedenken", ein Hinweis, der der zuerst zitierten Bemerkung den Charakter des Berechneten und Leblosen nehmen sollte, zugleich aber den enthemmt-expansiven Impetus ausdrückte, von dem die beiden Tagebucheintragungen Cosimas von 1878 sprechen. In detaillierter Beschreibung zeigen die "Erinnerungen an Schnorr von Carolsfeld" den besonderen symphonischen Ehrgeiz, den Wagner mit dem "Tristan", speziell dessen drittem Akt, hegte. Um die außerordentliche Leistung Schnorrs, des ersten Tristan-Darstellers, vor Augen zu führen, legte Wagner in den "Erinnerungen" seinen Freunden das Studium der Partitur nahe: "Sie würden zunächst nur das Orchester genauer zu untersuchen haben, dort, vom Beginn des Aktes bis zu Tristans Tode, die rastlos auftauchenden, sich entwickelnden, verbindenden, trennenden, dann neu sich verschmelzenden, wachsenden, abnehmenden, endlich sich bekämpfenden, sich umschlingenden, gegenseitig fast sich verschlingenden musikalischen Motive verfolgen; dann hätten sie dessen inne zu werden, daß diese Motive, welche um ihres bedeutenden Ausdruckes willen der ausführlichsten Harmonisation, wie der selbstän-

[85] CT 28.9.1878.
[86] SS VII, 119.

digst bewegten orchestralen Behandlung bedurften, ein zwischen äußerstem Wonneverlangen und allerentschiedenster Todessehnsucht wechselndes Gefühlsleben ausdrücken, wie es bisher in keinem rein symphonischen Satze mit gleicher Kombinationsfülle entworfen werden konnte, und somit hier wiederum nur durch Instrumentalkombinationen zu versinnlichen war, wie sie mit gleichem Reichtum kaum noch reine Instrumentalkomponisten in das Spiel zu setzen sich genötigt sehen durften"[87]. Der Enthusiasmus der Beschreibung suggeriert dem Leser, daß keine Symphonie traditioneller Art an die symphonische Fülle des dritten "Tristan"-Aktes heranreiche, und daß erst das Musikdrama sie ermögliche[88]. Aber auch die zitierte "Einheit des Symphoniesatzes" wurde erst im Musikdrama vollkommen. "Der Musiker", heißt es in "Oper und Drama", "als Verwirklicher der Absicht des Dichters, hatte [die] zu melodischen Momenten verdichteten Motive, im vollsten Einverständnisse mit der dichterischen Absicht, daher leicht so zu ordnen, daß in ihrer wohlbedingten wechselseitigen Wiederholung ihm ganz von selbst auch die höchste einheitliche musikalische Form entsteht, − eine Form, wie sie der Musiker bisher willkürlich sich zusammenstellte, die aus der dichterischen Absicht aber erst zu einer notwendigen, wirklich einheitlichen, das ist: verständlichen, sich gestalten kann"[89]. Das Musikdrama ist demnach die Vollendung der Symphonie. Das Drama verhilft nicht nur dem improvisatorisch entfalteten symphonischen Ausdrucksvermögen zur ästhetischen Legitimation, sondern läßt es vor allem auch als Abschluß und Krönung der historischen Entwicklung erscheinen. Die Legitimation war so eine doppelte.

[87] SS VIII, 185f.   [88] vgl. SS X, 190f.   [89] SS IV, 201.

Hier ließe sich nun der verlockende Gedanke anfügen,
Wagner habe seine Musikdramen als verkappte Symphonien betrachtet, so wie er die Missa solemnis mehrfach
"ein rein symphonisches Werk des echtesten Beethovenschen Geistes" nannte[90]. Daß Wagner eine Ambition in
diese Richtung hegte, dürfte deutlich geworden sein. Ein
kaum beachtetes Detail aus der Autobiographie "Mein
Leben" wirft darauf ein bezeichnendes Licht. Über die
Presse-Resonanz der Pariser "Tannhäuser"-Aufführung
1861 heißt es: "namentlich in den kleinen, von Meyerbeer noch nicht beachteten Journalen wurde ich wirklich
gefeiert, und manche sehr gute Phrase kam hierbei zum
Vorschein. Irgendwo las ich, mein 'Tannhäuser' sei 'la
symphonie chantée'"[91]. Wagner hätte diese Kennzeichnung wohl kaum behalten und berichtet, wenn sie ihm
gleichgültig gewesen wäre. Im übrigen wurde Wagners
dramatische Musik nicht erst in Frankreich und nicht
erst 1861 mit der Symphonie in Verbindung gebracht.
Nach der Premiere des "Fliegenden Holländers" 1843 in
Dresden schrieb der Rezensent des "Kometen", Braun
von Braunthal, die bemerkenswerten Sätze: "Verkennt
der Tondichter — und Wagner ist ein Tondichter in der
edelsten Bedeutung des Wortes — seinen Beruf nicht, so
wird er sich bald von der dramatischen Musik ab und der
epischen, der Sinfonie nämlich und den ihr verwandten
Formen, zuwenden"[92]. Wagners symphonischer Ehrgeiz
scheint, hier wie dort, den Zeitgenossen spürbar gewesen
zu sein.

[90] SS IX, 103. – vgl. SS VII, 127.
[91] ML 741.
[92] Kirchmeyer II, Spalte 69.

Wagners weitreichender Versuch, das Musikdrama durch den Bezug zur Symphonie zu legitimieren, kulminiert zwar in der These, das Drama erkläre die Symphonie, doch hieße es, Wagners theatralisch-dramatische Intentionen verkennen, wollte man behaupten, das Drama habe lediglich die Funktion eines Alibis für Wagners symphonische Exzentrizitäten, für eine die Gattungsgesetze hinter sich lassende improvisierte Symphonie. Die ästhetische wie historische Herleitung des Musikdramas von der Symphonie war keine Anleitung zum richtigen Hören der Wagnerschen Werke, sondern nichts anderes als ein großangelegter Legitimationsversuch, geboren aus der Leidenschaft für Beethovens Symphonien und dem durch sie entfachten eigenen symphonischen Ehrgeiz.

Notenbeispiele

Nr. 1 Gretchen

Nr. 2 Andante

Nr. 3 Symph. Andant.

Auf die Übertragung der schwer entzifferbaren Begleitfiguren im ersten Takt von Beispiel 3 wurde verzichtet.
Originale sämtlich im Richard-Wagner-Archiv Bayreuth.

Literaturverzeichnis

a. abgekürzt zitierte Literatur

Barth, Mack, Voss	Herbert Barth, Dietrich Mack, Egon Voss, Wagner. Sein Leben, sein Werk und seine Welt in zeitgenössischen Bildern und Texten, Wien 1975.
BB	Richard Wagner, Das Braune Buch, Tagebuchaufzeichnungen 1865 bis 1882, Zürich/Freiburg i.Br. 1975.
CT	Cosima Wagners Tagebücher: a) Cosima Wagner, Die Tagebücher, Band I 1869—1877, hg. v. M. Gregor-Dellin und D. Mack, München/ Zürich 1976. b) Bayreuther Blätter 1936—1938.
Fehr	Max Fehr, Richard Wagners Schweizer Zeit, Band I, Aarau/Leipzig o.J. Band II, Aarau/Frankfurt/M. 1953.
Glasenapp	Carl Fr. Glasenapp, Das Leben Richard Wagners, Band III, 4. Auflage Leipzig 1905, Band VI, Leipzig 1911.
Kirchmeyer	Helmut Kirchmeyer, Situationsgeschichte der Musikkritik und des

musikalischen Pressewesens in Deutschland, Das zeitgenössische Wagnerbild, Band II: Dokumente 1842–1845, Regensburg 1967, Band III: Dokumente 1846–1850, Regensburg 1968.

Königsbriefe   König Ludwig II. und Richard Wagner, Briefwechsel, bearbeitet v. O. Strobel, Band I–III, Karlsruhe 1936.

ML   Richard Wagner, Mein Leben. Erste authentische Veröffentlichung, hg. v. M. Gregor-Dellin, München 1963.

Roeckel-Briefe   Briefe an August Roeckel von Richard Wagner, eingeführt v. La Mara, Leipzig 1894.

SB   Richard Wagner, Sämtliche Briefe, hg. v. G. Strobel und W. Wolf, Band I, Leipzig 1967, Band II, Leipzig 1970, Band III, Leipzig 1975.

SS   Richard Wagner, Sämtliche Schriften und Dichtungen, Volksausgabe, Band I–XVI, Leipzig o.J.

Schott-Briefe   Richard Wagners Briefwechsel mit B. Schott's Söhne, hg. v. W. Altmann, Mainz 1911.

Uhlig-Briefe   Richard Wagners Briefe an Theodor Uhlig, Wilhelm Fischer, Ferdinand Heine, Leipzig 1888.

Wagner-Liszt   Briefwechsel zwischen Wagner und Liszt, hg. v. E. Kloss, Teil I und II, Leipzig 1910.

Wesendonck-Briefe   Richard Wagner an Mathilde Wesendonck. Tagebuchblätter und Briefe,
Berlin 1904.

Westernhagen 1956   Curt von Westernhagen, Richard
Wagner. Sein Werk. Sein Wesen.
Seine Welt, Zürich 1956.

Die genauen bibliographischen Angaben zu allen
anderen abgekürzt zitierten Quellen enthält der folgende
Teil *b* des Literaturverzeichnisses.

b. allgemeine Literatur

Abraham, Gerald, Wagner's String Quartet. An Essay in
Musical Speculation, in: The Musical Times 86
(August 1945), S. 233f.

Breithaupt, Rudolf Maria, Richard Wagners Klaviermusik, in: Die Musik III, 20 (1903/04), S. 108—134.

Bülow, Hans von, Über Richard Wagners Faust-Ouvertüre, Leipzig 1860 — dass., in: Bülow, H. v., Ausgewählte Schriften, Leipzig 1911, S. 203—231.

Conrat, Hugo, Drei unbekannte Ouvertüren Richard
Wagners [Columbus, Polonia, Rule Britannia], Neue
Musik-Zeitung XXVI (1905), S. 168ff.

Dahlhaus, Carl, Formprinzipien in Wagners "Ring des
Nibelungen", in: Beiträge zur Geschichte der Oper,
hg. v. H. Becker, Regensburg 1969, S. 95—129.

—, Wagners Begriff der "dichterisch-musikalischen Periode", in: Beiträge zur Geschichte der Musikan-
schauung im 19. Jahrhundert, hg. v. W. Salmen,
Regensburg 1965, S. 179—187.

—, Wagners dramatisch-musikalischer Formbegriff, in: Colloquium "Verdi-Wagner" Rom 1969, Bericht hg. v. F. Lippmann, Köln-Wien 1972, S. 290—301.

Daube, Otto, "Ich schreibe keine Symphonien mehr". Richard Wagners Lehrjahre nach den erhaltenen Dokumenten, Köln 1960.

Eichberg, Oscar, Richard Wagners Sinfonie in C-dur, Berlin 1887.

Furness, Raymond S. und Walker, Arthur D., A Wagner Polonaise, in: The Musical Times, Januar 1973, S. 26f.

Geck, Martin, Richard Wagner und die ältere Musik, in: Die Ausbreitung des Historismus über die Musik, hg. v. W. Wiora, Regensburg 1969, S. 123—146.

Glasenapp, Carl Fr. und Stein, Heinrich von, Wagner-Lexikon. Hauptbegriffe der Kunst- und Weltanschauung Richard Wagners, Stuttgart 1883.

Gotthelf, Felix, Ein musikalisch-poetischer Spaß von Richard Wagner, in: Der Merker 1911, S. 1006ff.

Grunsky, Karl, Wagner als Sinfoniker, in: Richard Wagner-Jahrbuch, hg.v.L.Frankenstein, Band 1, Leipzig 1906, S. 227—244.

Heintz, Albert, Der Kaisermarsch von Richard Wagner. (Mit einem ungedruckten Brief), in: Allgemeine Musik-Zeitung XII (1885), S. 121—124.

—, Richard Wagner in Zürich, in: Allgemeine Musik-Zeitung XXIII (1896), S. 91—94.

Hubenet, Eduard von, Wagners Faust-Ouvertüre. Eine musikalisch-psychologische Analyse, in: Bayreuther Blätter 1931, S. 22ff.

Istel, Edgar, Eine Doppelfuge von der Hand Wagners, in: Die Musik XI, 19 (Juli 1912), S. 27—41.

—, Ein unbekanntes Instrumentalwerk Richard Wagners, in: Die Musik XII, 15 (1912/13), S. 152—157.

—, Richard Wagners C-dur-Symphonie, in: Neue Musik-Zeitung XXXII (1911), S. 97—101.

—, Richard Wagner und die 9. Symphonie, in: Die Musik II, 6 (1902), S. 419—427.

Kropfinger, Klaus, Wagners Tristan und Beethovens Streichquartett op. 130. Funktion und Strukturen des Prinzips der Einleitungswiederholung, in: Das Drama Richard Wagners als musikalisches Kunstwerk, hg.v.C.Dahlhaus, Regensburg 1970, S. 259—271.

—, Wagner und Beethoven. Untersuchungen zur Beethoven-Rezeption Richard Wagners, Regensburg 1975.

Matter, Jean, Une page inconnue de Richard Wagner [Porazzi-Thema], in: Schweizerische Musikzeitung 1976, S. 25 f.

Mey, Kurt, Richard Wagners Webertrauermarsch, in: Die Musik VI, 12 (1906/07), S. 331—336.

Musiol, Robert, Wagners Faust-Ouvertüre und ihre Aufführungen, in: Neue Zeitschrift für Musik 98 (1902), S. 322ff.

Newman, W.S., Wagner's Sonatas, in: Studies in Romanticism VII (1967/68).

Obrist, Aloys, Neue Lohengrin-Skizzen, in: Allgemeine Musik-Zeitung XXXII (1905), S. 363—366.

Porges, Heinrich, Die Aufführung von Beethoven's Neunter Symphonie unter Richard Wagner in Bayreuth (22. Mai 1872), Leipzig 1872.

Rau, Ulrich, Von Wagner, von Weber? Zwei Kammermusikwerke für Klarinette und Streichinstrumente unter falscher Autorschaft, in: Die Musikforschung XXIX, 2 (1976), S. 170—175.

Santen Kolff, J.van, Der Faust-Ouvertüre Werden und Wachsen. Geschichtliches — Biographisches — Ästhetisches, in: Bayreuther Blätter 1894, S. 240—248/368—375.

Stephan, Rudolf, Gibt es ein Geheimnis der Form bei Richard Wagner?, in: Das Drama Richard Wagners als musikalisches Kunstwerk, hg.v.C.Dahlhaus, Regensburg 1970, S. 9—16.

Sternfeld, Richard, Die erste Fassung von Richard Wagners Faust-Ouvertüre, in: Die Musik XV, 9 (1923), S. 639—664.

—, Richard Wagners "Feen"-Phantasie, in: Die Musik IV, 22 (August 1905), S. 277—280.

Strobel, Otto, Das "Porazzi"-Thema. Über eine unveröffentlichte Melodie Richard Wagners und deren seltsamen Werdegang, in: Bayreuther Festspielführer 1934, S. 183ff.

—, "Geschenke des Himmels". Über die ältesten überlieferten "Tristan"-Themen und eine andere — unbekannte — Melodie Wagners, in: Bayreuther Festspielführer 1938, S. 157—165.

Tappert, Wilhelm, Richard Wagners Sinfonie, in: Allgemeine Deutsche Musik-Zeitung X (1883), S. 15.

—, Richard Wagners C-dur-Sinfonie, in: Allgemeine Deutsche Musik-Zeitung X (1883), S. 83f/95f.

—, Richard Wagners Symphonie C-dur, in: Allgemeine Deutsche Musik—Zeitung XIV (1887), S. 203ff/232.

—, Richard Wagners zweite Symphonie, in: Musikalisches Wochenblatt XVII, 40 (1886), S. 481f/41 S. 497ff.

—, Richard Wagner und die "Neunte" von Beethoven, in: Allgemeine Deutsche Musik-Zeitung XIV (1887), S. 375ff.

Uhlig, Theodor, Musikalische Schriften, hg.v.L.Franken-
stein, Regensburg (1913).

Voss, Egon, Richard Wagner und die Symphonie, in:
Richard Wagner. Werk und Wirkung, hg.v.C.Dahl-
haus, Regensburg 1971, S. 207—219.

—, Wagners fragmentarisches Orchesterwerk in e-moll —
die früheste der erhaltenen Kompositionen?, in: Die
Musikforschung XXIII (1970), S. 50—54.

Waltershausen, Hermann W. von, Das Siegfried-Idyll oder
Die Rückkehr zur Natur, München 1920.

Wolf, Werner, Richard Wagners Klavierwerke, in: Musik
und Gesellschaft XIII (1963), S. 281ff.

Richard Wagners Instrumentalkompositionen im Druck und auf Schallplatten

a) *Druckausgaben* (Auswahl):

Wenn nicht anders angegeben handelt es sich um Partituren.

Albumblatt E-dur für Ernst Benedikt Kietz (Klavier)
- a) Der Merker II, Wien, Oktober 1911 (Musikbeilage)
- b) Richard Wagner, Sämtliche Werke, Band 19, Klavierwerke hg.v.C.Dahlhaus, Mainz 1970, S. 84f.

Albumblätter C-dur (In das Album der Fürstin Metternich) (Klavier)
- a) E.W.Fritzsch, Leipzig 1871, Plattennummer 187.
- b) Musikalisches Wochenblatt II, Leipzig 1871 (Beilage zum 4. Quartal).
- c) Richard Wagner, Sämtliche Werke, Bd. 19, S. 97ff.

Albumblätter As-dur (Ankunft bei den schwarzen Schwänen) (Klavier)
- a) E. W. Fritzsch, Leipzig 1897, Pl.Nr.650.
- b) Musikalisches Wochenblatt XXVIII, Leipzig 1897 (Beilage zu Nr. 10).
- c) Richard Wagner, Sämtliche Werke, Bd. 19, S. 100f.

Albumblatt für Betty Schott Es-dur (Klavier)
- a) B.Schott's Söhne, Mainz 1876, Pl.Nr.22134.
- b) Richard Wagner, Sämtliche Werke, Bd.19, S. 102—105.

Columbus-Ouvertüre
 a) Breitkopf & Härtel, Leipzig 1908, Pl.Nr.Part.B.
    2091.
 b) Klavierauszug (Felix Mottl): Breitkopf & Härtel
    Leipzig 1908, Pl.Nr.V.A.2437.
Doppelfuge C-dur
 Die Musik XI, 19, Berlin, Juli 1912, S. 34—40 (vgl.
 Literaturverzeichnis, Istel).
Eine Faust-Ouvertüre d-moll
 a) Breitkopf & Härtel, Leipzig 1855, Pl.Nr.9138.
 b) Richard Wagners Werke, hg.v.M.Balling, Band 18,
    Leipzig (1927), S. 1—42.
 c) Ernst Eulenburg, Mainz, Nr. 671.
 d) Klavierauszug (Hans von Bülow): Breitkopf &
    Härtel, Pl.Nr. 10775.
Entreacte tragique Nr. 1 D-dur (Partiturfragment und
 Skizze)
 Richard Wagner, Sämtliche Werke, Band 18, I, hg. v.
 E. Voss, Mainz 1973, S. 117—121/293—296.
Entreacte tragique Nr. 2 c-moll (Skizze)
 Richard Wagner, Sämtliche Werke, Bd. 18, I, S.
 296—299.
Fantasie fis-moll (Klavier)
 a) C. F. Kahnt Nachfolger, Leipzig 1905, Pl. N.
    4449.
 b) Richard Wagner, Sämtliche Werke, Bd. 19, S.
    34—53.
Faust-Symphonie, 1. Satz (1. Fassung von "Eine Faust-
 Ouvertüre") d-moll
 Richard Wagner, Sämtliche Werke, Bd. 18, II (in Vor-
 bereitung).
Großer Festmarsch G-dur
 a) B. Schott's Söhne, Mainz 1876, Pl.Nr. 22106.

b) Richard Wagners Werke, Bd. 18, Leipzig (1927), S. 98—141.

c) Klavierauszug (Joseph Rubinstein): B. Schott's Söhne, Mainz 1876, Pl.Nr. 22107.

Huldigungsmarsch Es-dur

a) B. Schott's Söhne, Mainz 1890, Pl.Nr. 24979.

b) Richard Wagners Werke, Bd. 18, Leipzig (1927), S. 43—64.

c) Instrumentation für großes Orchester (Joachim Raff): B. Schott's Söhne, Mainz 1871, Pl.Nr. 20533. — Ernst Eulenburg, Leipzig, Pl.Nr. 3850.

d) Klavierauszug (Hans von Bülow): B. Schott's Söhne, Mainz 1865, Pl.Nr. 18335.

Kaisermarsch B-dur

a) C. F. Peters, Leipzig 1871, Pl.Nr. 5377.

b) Richard Wagners Werke, Bd. 18, Leipzig (1927), S. 65—97.

c) Klavierauszug (Carl Tausig): C. F. Peters, Leipzig, Pl.Nr. 5379.

König Enzio-Ouvertüre e-moll

a) Breitkopf & Härtel, Leipzig 1908, Pl.Nr. Part. B. 2092.

b) Richard Wagner, Sämtliche Werke, Bd. 18, I, S. 94—116.

c) Klavierauszug (Felix Mottl): Breitkopf & Härtel, Leipzig 1908, Pl.Nr. 2435.

Konzert-Ouvertüre Nr. 1 d-moll (1. und 2. Fassung)

a) 2. Fassung: Richard Wagners Werke, Bd. 20, Leipzig (1926), S. 88—109.

b) 1. und 2. Fassung in Synopse: Richard Wagner, Sämtliche Werke, Bd. 18, I, S.26—93.

Konzert-Ouvertüre Nr. 2 C-dur

a) Richard Wagners Werke, Bd. 20, Leipzig (1926), S. 110—133.

b) Richard Wagner, Sämtliche Werke, Bd. 18, I, S. 122—157.

Notenbriefchen für Mathilde Wesendonck G-dur (Klavier?) Faksimile: Bayreuther Festspielführer 1938, zwischen S. 160 und 161.

Orchesterwerk e-moll (Fragment)
Richard Wagner, Sämtliche Werke, Bd. 18, I, S. 2—25.

Polka G-dur (Klavier)
Richard Wagner, Sämtliche Werke, Bd. 19, S. 86.

Polonaise D-dur (Klavier)
Novello & Co. Ltd., London 1973, Pl.Nr. 20016.

Polonaise D-dur, op. 2 für Klavier zu vier Händen
a) Breitkopf & Härtel, Leipzig 1832, Pl.Nr. 5305.
b) Breitkopf & Härtel, Leipzig, Pl.Nr. 10864.
c) Richard Wagner, Sämtliche Werke, Bd. 19, S. 27—33.

Polonia-Ouvertüre
a) Breitkopf & Härtel, Leipzig 1908, Pl.Nr. Part. B. 2093.
b) Klavierauszug (Felix Mottl): Breitkopf & Härtel, Leipzig 1908, Pl.Nr.V. A. 2436.

Porazzi-Thema As-dur (Klavier?)
a) Faksimile: Bayreuther Festspielführer 1934, zwischen S. 184 und 185.
b) Faksimile: Ernest Newman, The Life of Richard Wagner, Bd. 4, New York 1960, neben S. 405.
c) Schweizerische Musikzeitung 1976, Nr. 1, S. 25.

Rule Britannia-Ouvertüre D-dur
a) Breitkopf & Härtel, Leipzig 1908, Pl.Nr. Part. B. 2094.
b) Klavierauszug (Felix Mottl): Breitkopf & Härtel, Leipzig 1908, Pl.Nr. V.A. 2438.

Siegfried-Idyll E-dur
- a) B. Schott's Söhne, Mainz 1878, Pl.Nr. 22430.
- b) B. Schott's Söhne, Mainz 1908, Pl.Nr. 27700.
- c) Richard Wagners Werke, Bd. 18, Leipzig (1927), S. 142—163.
- d) Ernst Eulenburg, Mainz, Nr. 810.
- e) Klavierauszug (Joseph Rubinstein): B. Schott's Söhne, Mainz 1878, Pl.Nr. 22458.

Sonate B-dur op. 1 (Klavier)
- a) Breitkopf & Härtel, Leipzig 1832, Pl.Nr. 5300.
- b) Breitkopf & Härtel, Leipzig 1862, Pl.Nr. 10433.
- c) Richard Wagner, Sämtliche Werke, Bd. 19, S. 1—26.

Sonate A-dur (Klavier)
- a) überarbeitete Ausgabe von Otto Daube (!): Hans Gerig, Köln 1960, Pl.Nr. 437.
- b) Richard Wagner, Sämtliche Werke, Bd. 19, S. 54—83.

Sonate As-dur (Eine Sonate für das Album von Frau M. Wesendonck) (Klavier)
- a) B. Schott's Söhne, Mainz 1878, Pl.Nr. 22431.
- b) Richard Wagner, Sämtliche Werke, Bd. 19, S. 87—95.

Symphonie C-dur
- a) Fassung von 1878/82: Max Brockhaus, Leipzig 1911, Pl.Nr. 588a.
- b) Fassung von 1878/82: Richard Wagners Werke, Bd. 20, Leipzig (1926), S. 3—87.
- c) 1. (1832) und 2. Fassung (1878/82): Richard Wagner, Sämtliche Werke, Bd. 18, I, S. 158—292/ Kritischer Bericht

"Träume" für Solovioline und kleines Orchester As-dur
- a) B. Schott's Söhne, Mainz 1878, Pl.Nr. 22556.

b) Richard Wagners Werke, Bd. 20, Leipzig (1926), S. 134ff.

Trauermusik zur Beisetzung der Asche C. M. v. Webers nach Motiven aus "Euryanthe" B-dur

a) Richard Wagners Werke, Bd. 20, Leipzig (1926), S. 140—144.

b) Klavierauszug (Adolph Blassmann): C. F. Meser (Adolph Fürstner), Berlin, Pl.Nr. 2997.

Zürcher Vielliebchen Walzer Es-dur (Klavier)

a) Die Musik I, 4, Berlin 1902 (Beilage zu Heft 20/21)

b) Julius Kapp, Wagner, Berlin 1913, Abbildung 47. — ders., Richard Wagner, Berlin 1933, S. 71.

c) Richard Wagner, Sämtliche Werke, Bd. 19, S. 96.

b) *Diskografie*

Das folgende Schallplattenverzeichnis beschränkt sich auf aktuelle Aufnahmen, also solche, die momentan (Juli 1976) im Handel sind. Nur in den Fällen, in denen augenblicklich keine Einspielungen verfügbar sind, wurden ältere, nicht mehr in den Katalogen verzeichnete Aufnahmen angegeben. Das geschah in der Hoffnung auf die Findigkeit von Antiquariaten, Spezialhändlern und Auslandsdiensten, vom Schwarzmarkt zu schweigen. Bei den häufig eingespielten Stücken "Eine Faust-Ouvertüre" und "Siegfried-Idyll" ist auf Vollständigkeit der Diskografie verzichtet worden. Das nicht von Wagner stammende "Adagio" für Klarinette und Streichquintett in Des-dur bleibt unerwähnt (vgl. Literaturverzeichnis).

Albumblatt C-dur (In das Album der Fürstin Metternich)
   Martin Galling — Vox SVUX-52022 (USA)
   Werner Genuit — BASF 29 21108-8 Bayern's Schlösser und Residenzen: Bayreuth
Albumblatt As-dur (Ankunft bei den schwarzen Schwänen)
   Martin Galling — Vox SVUX-52022 (USA)
Albumblatt Es-dur für Betty Schott
   Martin Galling — Vox SVUX-52022 (USA)
   Werner Genuit — BASF 29 21108-8 Bayern's Schlösser und Residenzen: Bayreuth
Columbus-Ouvertüre
   Symphonieorchester des WDR Köln (?)
   Dirigent: Richard Kraus — privat

Eine Faust-Ouvertüre
  Pierre Boulez, New York Philharmonic — CBS 73215
  George Szell, Cleveland Orchestra — CBS 78227
  Arturo Toscanini, NBC Symphony Orchestra — RCA
  AT 400
Fantasie fis moll
  Martin Galling — Vox SVUX-52022 (USA)
  Werner Genuit — BASF 29 21108-8 Bayern's Schlö-
  ser und Residenzen: Bayreuth
Großer Festmarsch
  Marek Janowski, London Symphony Orchestra —
  EMI 1 C 063-02 319
Huldigungsmarsch (originale Instrumentation)
  Désiré Dondeyne, Musique des Gardiens de la Paix
  — Westminster WST-17014
Huldigungsmarsch (Instrumentation für großes Orchester
  von Joachim Raff)
  Marek Janowski, London Symphony Orchestra —
  EMI 1 C 063-02 319
  Siegfried Wagner, London Symphony Orchestra —
  EMI 1 C 147-30647/48
Kaisermarsch
  Marek Janowski, London Symphony Orchestra —
  EMI 1 C 063-02 319
König Enzio-Ouvertüre
  Leo Wurmser, Orchester (?) — Private recording
Polonia-Ouvertüre
  Adolph Fritz Guhl, Symphonieorchester des Berliner
  Rundfunks — Urania US 57116 (USA)
Siegfried-Idyll
  Wilhelm Furtwängler, Wiener Philharmoniker — Elec
  1 C 147-01197/99 — Seraphim IB-6024 (USA)
  Otto Klemperer, Philharmonia Orchestra (mit solisti-

scher Streicherbesetzung) — Elec STC 91 281

Rafael Kubelik, Berliner Philharmoniker — DGG 2705017

Wolfgang Sawallisch, Wiener Symphoniker — Phil 6580063

Georg Solti, Wiener Philharmoniker — Decca SET 323/24

Arturo Toscanini, NBC Symphony Orchestra — RCA AT 400

Siegfried Wagner, London Symphony Orchestra — EMI 1 C 147-30647/48

Sonate B-dur op. 1

Martin Galling — Vox SVUX-52022 (USA)

Sontraud Speidel — Fono Schallplatten GmbH FSM 53 113

Sonate A-dur

Martin Galling — Vox SVUX-52022 (USA)

Werner Genuit — BASF 29 21108-8 Bayern's Schlösser und Residenzen: Bayreuth

Sontraud Speidel — Fono Schallplatten GmbH FSM 53 113

Sonate As-dur (Eine Sonate für das Album von Frau M. Wesendonck)

Martin Galling — Vox SVUX-52022 (USA)

Werner Genuit — BASF 29 21108-8 Bayern's Schlösser und Residenzen: Bayreuth

Symphonie C-dur (Fassung 1878/82)

Otto Gerdes, Bamberger Symphoniker — DGG 2530 194

Träume (für Solovioline und kleines Orchester)

Orchester Hans Carste — Polydor 237 155

Trauermusik (nach Motiven aus C. M. v. Webers "Euryanthe")

Désiré Dondeyne, Musique des Gardiens de la Paix
— Westminster WST-17014
Godman Band — Decca 78 633 (USA)
Zürcher Vielliebchen-Walzer
Martin Galling — Vox SVUX-52022 (USA)
Werner Genuit — BASF 29 21108-8 Bayern's Schlösser und Residenzen: Bayreuth

Register der Instrumentalkompositionen Richard Wagners